ニホンという病

養老孟司×名越康文

日刊現代

はじめに

養老先生と聞いて皆さんはどのような印象をお持ちだろうか。

あえて言ってみると、医学、解剖学の垣根を越えて科学や文化を論じ、とかく時勢や瑣末な損得勘定に振り回される我々に、表面的ではない物事の本質を指摘し続けてくれる存在、というようなことになるかも知れない。

しかし実際にお会いしてみてつくづく思うのは、この方の頭の良さというものは、積み上げた知識ではどうすることもできない領域にある、ということなのだ。絶えず我々のはるか上空から、しかも我々の内面に届くような先生の言葉は今だけではなく未来においても重要で、それにもかかわらず現代日本は、ますます養老孟司の視座から遠のいてしまっていて、その落差はいっそう乖離《かいり》していくばかりに思えてならない。

養老先生との出会いは、甲野善紀先生に付き従って東大の研究室に伺った時を始まりとする。私は30代前半であったから、もう30年近くも前である。その頃の養老先生がまだ東大の現役教授で自分は救急に明け暮れる若手医だったことを考えると隔世の感がある。改めて本書の中で触れられている私とはいつの私のことか、という問いが頭をよぎる。死ののちにもし神にまみえるのであれば、その自分とは一体誰なのか。本書では激変する今についての対話から始まって、誰しもに訪れる死をどうとらえ直すのか、といった話題に至るまで広角度な話題について話し合われている。これも対談が1年という長期にわたって行うことができたおかげだろうと思う。

養老先生と本を出すのは光栄なことに2冊目である。先生から発せられるさざ波のような雰囲気は、人の心を清涼なものへと向かわせる独特のものだ。しかし一方でよもやま話ではなくて、この方と真顔で対談することは私にはずいぶん骨が折れるのも事実なのだ。先生の言葉は絶えず物事のとどのつまり、本質的なこと、日本人が最も苦手とする現実そのものへの認識から一ミリもずれはしない。ある種最短距離で結論へと向かうその思考の鋭利な構成こそ、先生の生きる作法そのものであるように思う。であるからこの本の中でも、何度か私が前回の話題を蒸し返すような場面がある。咀嚼《そしゃく》が必要なのだ。誠に恥ずかしいことだが、自分が納得行くまで止まることが読者にとっても利益になると信じて、そのような対談の流れをつくらせてもらった。

あとは皆さまの生き方に、一つでも指標となる言葉が含まれていることを祈るのみである。

精神科医　名越康文

目次

第2章

第3章

第4章

第5章

この本ができるまで

本づくりにはいろんなスタイルがあります。著者による書き下ろし、過去の作品をまとめたもの、対談、インタビュー、新聞・雑誌連載をまとめたものなどです。この本は、夕刊紙「日刊ゲンダイ」での連載をベースに、全5回に及ぶ養老孟司、名越康文両先生の対談内容を編んだものとなっています。

そもそもの構想は2021年にさかのぼります。コロナ感染拡大2年目という状況下で、コロナ禍拡大状況におけるさまざまな問題が露呈していました。行動制限、自粛警察、同調圧力、差別、不寛容……。自由平等、民主主義を標榜する日本社会ですが、いざ有事となると一変してしまう。その恐ろしさを誰もが感じたことと思います。

明治維新から150年たっても、結局のところ日本という国、そして日本人の本質は変わっていないのではないか。有事に直面して「建前」が後退し、「本音」が表に出てきたのではないか。そんな問題意識から、日本社会と国民性について両先生に語り合っていただき、真相を解き明かしていこうということで対談が実現しました。

対談は2022年1月の神田に始まり、箱根、赤坂、鎌倉と舞台を変え、最後は1年後の2023年1月に出発点の神田に戻ってきました。対談内容の一部をまとめて日刊ゲンダイ紙面（デジタル紙面含む）において2022年2月から月に1回のスタイルで、12回にわたって連載しました。

樹木でいえば幹にあたる大テーマは、明治維新以降、日本と日本人が乗り越えられない「壁」「病」と、将来の変革に向けた「対処法」「処方箋」ということになります。幹から派生する枝については、対談ごとに編集部が両先生に提示して、進行役の司会のもとで語り合っていただきました。

コロナやウクライナ侵攻といった時事的なテーマにはじまり、南海トラフ、脳科学、宗教観、自然回帰、多様性、死と再生など、枝葉はどんどん広がりました。不寛容社会、非科学的政策の象徴という意味で、メディアが掘り下げようとしない喫煙問題にも言及しています。

コロナの分類変更が行われ、社会は「アフターコロナ」に向けて大きく舵を切ろうとしています。緊急事態宣言下で起きていた不寛容、不平等な出来事も、コロナ対策・ワクチン対策の不都合な部分も忘れ去られかねません。それでいいのでしょうか。このまきちんとした検証と総括がなければ、次の有事の際、再び同じ事態が起きかねません。

少子高齢化、人口減社会が急速に進む中で、この国は防衛費増強路線に踏み切り「強い国」を志向し始めました。まさに歴史的転換点を迎えています。看過していていいのでしょうか。一度立ち止まって、自分の頭で考えてみませんか。内発的思考を働かせてみませんか。

そんな思いを込めた一冊です。

構成・まとめ　山田稔

やっぱり
まるは
最高

第1章

養

老孟司、名越康文両氏の対談の1回目は、2022年1月21日世界一の本の街である東京・神田の出版クラブで行われた。

この日の東京は、1日の最低気温が氷点下という厳しい寒さに見舞われていた。コロナ禍が続き、オミクロン株による感染者が激増し、「まん延防止等重点措置」下にあった。

東大前刺傷事件と「理Ⅲ信仰」

コロナ禍が3年目に入り、全国36都道府県にまん延防止等重点措置が適用される中（※2022年1月21日時点）、東大前での17歳少年による刺傷事件など、自分自身で解決できず他人を巻き込む事件が相次いだ。背景には何があるのか。

名越　事件後、いろんな人に「先生、取材が殺到して大変でしょ」と言われるんですよ。ところが、最近は一切ないんですね。かつては異常な事件があると、精神科医に話を聞くということが当たり前でしたが、それがなくなってきている。なんか、地続き感というか、日常的な感じになってきていますね。

ですから、以前はそういう事件があると、電話がかかって来て、また難しいこと考えないといけないのかと気がめいったものですが、この3、4年はまったく当事者感がない、という感じです。

――今回の事件ですと、東大に入って医者になるんだという少年の供述がクローズアップされています。

名越　何年か前、養老先生の言葉で今でも覚えているのがあります。

「僕はいまだに東大を卒業させてもらえないんだ」

という言葉なんですね。要するに「名誉教授という肩書が必ずついて回って、いまだに卒業しないのかな」とおっしゃっているわけです。

どうなんですかね、そういうブランド価値というのは、あるんですかね、今でも。

養老　東大前事件でいうと、「東大理Ⅲ信仰」みたいなものは、僕が現役（教授）のころから非常に気になっていましてね。要するに成績がある程度良い子は理Ⅲに行けるということで、そういう学生が入ってくるようになったんです。

変な時代になったなあと、しみじみ思っていました。医者に適性があるとかないとか、そういうの関係ないんですよ。成績が良いからと。僕なんか生き物が好きだから医学部に行っているんだけれども、そういうつながりじゃなくて医学部に入ってくる学生が増えた。どういうことかというと、理数系が達者な子ですね、物理とか化学とか、そういうのは非常にできるんですよ。でも医学は物理、化学とは全然違ってややこしいんです。とくに解剖学なんかは。それで、気の利いた学生は解剖学をあまり評価しないんですよ。そういう子が増えちゃったんで、「こんなところでやってけねえよ」とこっちが思うようになってきた。

何か知らないけど理Ⅲというのは、特別なものだということになっている。今度の事件だと高2ぐらいからちょっとおかしくなってくるというのはごく普通にあるわけです。中学、高校ぐらいでおとなしい優等生というのは一番気を付けなきゃいけない。

僕が東大にいたころは、そういうなれの果てを引き取っていたわけですから、学生として。とにかく、変なヤツがいましたからね、いつでも。そうした傾向が随分早く出てくるようになった。僕らのころですと、入学してから問題を起こしていましたが、今は入学する前に起こしているわけですからね。

名越　知識の集積を競うことで頭の良し悪しを印象付けるやり方は、ＡＩが社会を動かそうとしている現代において、もうかなり虚しさが漂ってきている気がします。

しかしそれに代わる評価の仕方が、大学の成績や就職選抜やエンタメに至るまで、まだ見いだされていない。そもそも考えるとは何かとか、人生において意味のある発想の持ち方とは何か、ということを考え続けることで人間として自立していく、という過程が必要だと思うのですが、それは個人個人の内面に全て負託されている。

つまり未来において最も活用できるであろう能力の訓練は、ブラックボックスに入ったままで年月が過ぎ去っていると言って良いのではないかと思います。

養老　やっぱり社会のあり方ではないですかね。明治維新含めてずっと来た長い歴史を踏んでいますからね。日本語はもっと前からある。そういうもの全ての総和ですよ。

そんなこと言ったら、それこそ解決策ないじゃないかと言われそうですが、実際、ないんですよ。多分、ないから困ってるんじゃないかな。

日本人はその辺を楽天的に考えて、変えなくていいことにしようとしてきたわけです。本質にかかわるところは変えずに、表層的なところだけを変えてきた。和魂洋才が典型だと思うね。明治維新は政治で動いたからまだいいですよ。政治の世界を変えたから。戦後は何をしたかっていうと、日常生活を変えちゃったわけですよね。その典型が家族制度で、大家族から核家族になった。

今度の高校生の事件でも、お母さんは分かってたみたいですね、（東大理Ⅲを目指していた子どもの成績が）こんなことじゃ具合悪いってね。でも、家族では解決できなかったわけです。

だいたい一生懸命勉強して成績が良くなっても喜ぶことじゃないんだ。当たり前でしょう、それだけの努力をしたんだから。ほめることでも何でもない。おそらく学校を変えたら、何にも努力しないで、その子ぐらいの成績をとっている子は平気でいるはずです。

それこそ苦労しないで理Ⅲに入ってくる学生を見ていると、日本の社会が一色になって具合が悪い。狭い世間がますます狭くなっていきますよ。

コロナ禍における「科学的根拠」

――コロナ禍で専門家や政治家の口から「科学的根拠」という言葉が頻繁に聞かれました。

名越　コロナは恐ろしい病気ということを論説している人もいれば、恐れる必要はないということを論説している人もいます。本当に同じ病気の解説なのかと思うぐらい内容が違うんですよ。

普通だったら6割ぐらいはかぶるだろうに、もう本当にバラバラで、それ自体、十分興味深い現象が起きています。

養老　今言われた「科学的根拠」というものが入ってきたら絶対に信用しない（笑）。

名越　僕もね、いろいろ読んでいたんですけど、だんだんと自分の頭が割れそうになってきて。これはもう、まとめたり単純化して統一しようとすると誤るなと思うしかないわけです。

テレビに出ていて思ったのは、それまで一貫性がないことがメディアであって、だからこそ日に日に変わる情報の中で中立にいられるわけですし、我々も冷静でいられたのですが、コロナに関してはまったく反対で、一貫しなければならないという強迫性を感じます。例えば、「副反応」という言葉。最初のころは「副作用」と言う人もいました。協定も結ばれていないのに、1週間ぐらいで全てのテレビが「副反応」と呼びだしたという印象です。

養老　副作用だと薬についてということになりますが、副反応だと患者のせいだということとになるからです。体が勝手に反応したんだ、薬のせいじゃないということです。これは裏がありますね。

名越　明らかに操作的ですね。

――科学的真実はどこにあるのか、どうやったら見極められるのでしょうか。

養老　それは分野にもよると思いますね。どういう問題を扱っているか、その切り分けが今できていないわけです。何もかも一緒にして科学的にやろうとするからできないのです。

名越　病原体についても、ワクチンと呼ばれる新規の薬についても、人類にとって初めての経験である要素があるにもかかわらず、エビデンスとか科学的にとか、すでに一本の既定路線があるかのように装って無理やり押し切ろうとするから歪みが出ていますね。

――身近な例ですが、屋外の喫煙所も次々と閉鎖されました。

名越　普通に考えたら、吹きさらしのところで吸っているのですから、クラスターなんか原理的にはあり得ないと思うんですけどね。僕は早く個人の判断を主体にしてやろうよという立場でしたので、緊急事態宣言の端境期に「鬼滅の刃」を見に行ったんです。映画館は超満員で、最後、みんなすすり泣いているんですよ、あちこちで。興行収入が500億円を超す大ヒットになりましたが、クラスターは少なくとも公称では1件も発生しませんでした。
僕が知っている限りではなんの検証もないのに（政府は）感染症部会の人たちがついているから、なんとなく科学的根拠があるという体をとっていたんですね。少なくともそれらを多角的に検証できうる人材は何千人もいるだろうから、もうちょっと、資料をもとに広く議論を公にしてほしいですね。

――コロナ禍で世界的に論文の提出数が劇的に増えたと言われています。

名越　ひとりの人間が全部を読み込むことは当然できなくて、グループでも難しいし、結局はＡＩに頼るとなったら、ＡＩは人間的な配慮なんかしませんから、「ナンセンス」と返ってくる可能性すらあるかも知れない。僕だって一部しか見られないですよ。ある種、試しに両極端の論文を読んでいると、全然違う結果になっていることが多く興味深いですね。

ストレスについて

――コロナ禍で人々は大変なストレスにさいなまれています。養老先生、東大時代にはどんなストレスを感じていましたか。

養老　科学的に生きるという問題ですね。「おまえ、科学的に生きているか」って聞かれたらどう答えますか。私が若い時に一番悩んだ問題です。基礎科学をやっていたわけですから、そういうことをやっているとどうしても科学的でなければいけないというふうに思うわけですよね。仕事がそうなんですから。

じゃあ、自分自身が生きている時にそういうふうにやっているかというと全然違う原理で生きているわけですから、その折り合いがつかない。だから結局、うまくいかなかったんですね。

大学を辞めるまで、なんとなく苦しがっていたのは根本にその問題があったからです。

それを上手に割り切ったり、あるいは二重基準で生きられれば（大学に）残っていたのだろうけど、僕は不器用でそういう生き方ができなかった。

名越　極端な話をしたら、朝ごはんの段階から、どこかモヤモヤしているみたいなことですか。

養老　そうですね、そのストレスでほとんど暮らしてきたみたいなもので、結果としてそのストレスがいろんな本を生み出しました。おかげさまで何とか、というわけです。

　ストレスはおそらく明治期から始まっているんですね。最近思うのは、西郷隆盛がなぜ偉いのか、死後も人気があったのか、ちっとも分からなかった。

　結局、明治維新でみんな嫌というほどストレスを食らったんですよ。明治政府が先祖代々やってきたことをまったく変えてしまって、人々は違うことをしなくてはいけなくなった。

　なんでそんなことしなくちゃいけないのか、普通の人は分からないからストレスがたまっていった。その挙げ句が西南戦争で、西郷さんは死んじゃったんだけども、死んだ後も人気があったというのはそれだけ人々の間にストレスがあったからなんだろうと思いますね。

——その後の歴史的転換点においてはどうだったのでしょうか。

養老　戦後（太平洋戦争終結後）は、西南戦争みたいな出来事がなかったから、もう少しソフトな形でストレスがずっと続いてしまった。だいたい、何百年か何千年か知りませんけど、そんな長い期間続けてきたことを、頭で考えてガラって変えてね、できると思ったところが、当時の日本人とアメリカ人の能天気なところですね。

日本は明治維新で前例があるから分かるけども、アメリカは自分たちがつくった国ですから能天気でいられるんですね。日本とアメリカの合意で戦後が成立しているんですけども、同じやり方をベトナムやイラクへ持っていってもダメですね。アフガニスタンが典型で、結局あれだけ大騒ぎして元の木阿弥じゃないですか。

本来そういうもんだと思いますよ、人間の社会って。そんなややこしいものを理屈で簡単に割り切れるもんじゃない。終戦後、それを割り切れると思ったのがアメリカであり、日本だったわけです。だから僕みたいにストレスをずっと感じている人間もいるわけです。

名越　個人的な興味なのですが、どういう立場にいたら比較的ストレスがなかったかなあ、みたいなことはありますか。

養老　日本にいる限りダメですね。日本の社会に生きていて日本語を使っていると、どうしてもストレスを感じざるを得ませんね。人間関係とかね。

名越　なんとなく前から思っていましたが、人間関係をみんなもう少し縮小した方が楽になるのではないかと思うんですが。

養老　でも、嫌でも生じてくるわけですよ、組織の中では。それは大変なストレスですよね、やっぱり。だいたい、一般の人は勤めをなかなか辞められない。周りに若い人がいて、こっちがあてにされていると思うと、勝手に辞めてしまうのは具合が悪い。辞めるか辞めないかは日本の社会では個人の進退ではない。やっぱり集団の中の、世間の中の動きですからね、網の目構造の。

名越　この間リモートでの相談をやりまして、中年の男性が会社を辞められない。次の人に申し送りをしなければならないけれど、会社がなかなか後任を選んでくれないという状態が半年以上も続いているそうです。サラリーマンってそういうもんなんだと思わされました。

養老　若い人は暗黙の前提で、自分の意思で生きていると思っていますから、自分の人生を自分で決めて何が悪いかってね。だから自殺するんですよ。自分の進退も自分のものだから構わないというわけです。そういう暗黙の常識があるところに、ストレスが過度にたまってくると大変なことになってしまうのです。

名越　ちょっと思い出してしまったのですが、僕がまだ30代だったころ、世界一強いと言われていたヒクソン・グレイシー（ブラジルの総合格闘家）というすごい人がいました。次はどんなマッチメークが見られるんだろうと楽しみにしていたのですが、そんな折に彼の長男がバイク事故（本当の死因は諸説ある）で突然亡くなり日本でも大きな事件として取り上げられました。

それを聞いた後、長年体を診ていただいている身体操作の専門家の先生が

「もう彼は引退するね」

とおっしゃったんです。それから確かに僕が知る限りヒクソンは試合をしていないですね。どのような関係性があるかは想像しかできないのですが、命の問題は決して個人の枠の中で閉じてはいないという思いにさせられます。

——コロナ禍では社会的なストレスもすさまじいものがあります。同調圧力や差別が顕在化しました。

名越　令和の時代になっても、日本の社会の根本は本当の意味での「合理」はなく、確かに得体の知れない同調圧力の嵐が吹きまくり続けている、という感じがします。

でもあえて言葉にこだわるならば、同調圧力や差別、という言葉はあたかも意識してそれが生産されているという誤認を生む言葉のようにも思えるんです。同調圧力や差別が生まれるから、それを戒めなければならない、一網打尽にしなければならない、とまた強迫的に意識化しようとする。

社会正義の視点ではそれで済むのでしょうが、おそらくそれは解決の糸口ではない気がしています。もっと多様なもの、根本的なことを美しいと思ったり、受け入れたりすること。そういう動き続ける作法のようなものを取り戻さなければ、良かれと思ってされている提言や批判が、いっそうきついストレスとなって結実し続けるような気がしていて、恐れています。

養老先生が以前から言っておられる、一日一日を丁寧に生きていく作法を身に付けるということもそれに通じている。「丁寧に」とか「手入れ」ということがどういう感覚でどういう所作なのか。そういうことも含めた日常の次元にしか根本的な解決の糸口はない。それ以外はいわば他人事、きれいごとである気がします。

同意を優先させる日本語

養老　最近、日本語が気になるんですね。日本語ってわりあい、そういう雰囲気とか忖度とかよく表現できて、そう言うと絶対に誤解されるんだけど、客観性とか記述とか、ドキュメントに向かない。

ドキュメントというのは事実を淡々と記していきますけども、日本語で事実を淡々と記されても読む気がしない言葉なんですよ。ところが不思議なことに英語っていうのは、そういうところがちょっとあって、事実を書くのに向いているんじゃないかと思います。それで哲学も経験主義になるし。

オーストラリアにいた時に交通事故に巻き込まれたことがあるんです。人身事故ですから警察に「自分の子がけがをした」と調書を出さないといけない。

その文章を書く時に何をしたかというと、現場を見に行きましたよ。日本でそういう調書を書かないといけないとすると、上手につじつま合わせて書くでしょう。英語が不自由だということもありますが、英語って困った言葉だなと思ったのは、具体的な現場を見て書かないと書けないように文章ができているんですよ。書いてみても気に入らない、これじゃ文章ダメだなと分かるんですね。英語になってないというか、そもそも説明になってない。

なんていうか、言葉の方が物事を認識する時の強制力になっている。それでなんとなく分かったような気がしたのは、証拠主義、証言主義。要するに誰かが言ったことが、比較的起こった出来事に言葉や表現が比較的近いから、出来事と合わないとすぐばれるんです。だから彼らは証言主義をとる。日本の場合は、自分の気持ちに言葉が近いので、「俺は悪くない」ということをいわば無意味に繰り返すことができる。

——言語の構造が決定的に違うということでしょうか。

養老　そうですね。英語はそういうふうな構造になっているので、嘘をつく時真っ赤な嘘をつくんだな。（事実に近い言葉を使うと嘘にならないから）違う事を言うためには真っ赤な嘘をつかないと。事実に反することを言わないといけない。

それで証拠主義、証言主義になって、日本は自白主義になっている。「語れば落ちるんだ」というわけです。「話せば分かる」というのはそれに近いところがある。あの「分かる」というのは何でしょうねえ。同意が優先しているのです。事実の違いよりも同意が優先している。日本語はそういう言葉なんです。

名越　詳細にみれば、同じことを言っているはずではなくても、話せばなんとなく落としどころがみえる。

養老　通じる。だから日本人はわりあいに自分の本当の気持ちでは嘘をつきにくいんですよ。だから中国人とか韓国人には、（自己主張を出さずに同意を優先させる日本人は）嘘つきに見える。

その点、中国は面白いですよ。岡田英弘さん（故人　東京外国語大学名誉教授＝東洋史学者）に言わせると「中国語なんかない」というわけですから。ずいぶん極端ですけど、いろんな地方のいろんな言葉があって、それぞれなんだから、全体を統一する中国語があるみたいに我々は思っているけれどもありませんと。だいたい、字を読むなんてとんでもない努力が必要だって。

何千年もそうやって、中国人はしゃべっているわけですから、中国語について言うなら、聞いていたら心地いいはずだなと。気持ちの悪い音は排除されているはずだから。自分でも不思議なんですけど、最近ネットフリックスで中国のものをちょっと見ているんですけどね、やっぱり音が心地いいですね。中国人って、だいたい日本の基準でいうと怒鳴るから、うるさくてしょうがないんだけど、普通の会話がテレビから聞こえてくると、そう悪くないなと。

名越　確かに中国の歌を聴くと、美しいフレーズがあります。

――日本語はどうでしょうか。

養老　自分の心に近いですね。自分の心との間にあまりズレがない。その代わり、自分の心ですから、一緒に動いちゃうから事物との間は大きくズレてしまいます。そっちはどうでもいいということになってしまうわけです。

名越　心は移ろいますからね。その移ろいに合わせて言葉が出てくる。事物はあまり移ろわないですからね。

主観が一切入らない英語

養老　毎年、絵本・児童文学研究センターのセミナーがあって何人か講演するんですけど、去年（2021年）の11月に小樽でアーサー・ビナード（米国人の詩人・俳人）が面白いことを言っていましたね。彼ねえ、マレー攻略の時の朝日新聞を持ってきてね、これを読むと日本軍がどこまで来ていて、戦況がどうなっているかが紙面から分かるって言うんですよ。

今の新聞読んでも、そういう具体的なことは何も分からないというわけです。世の中、大分変わってきたことも確かだと思うけれども、（事実を伝えるべき新聞も）最近は非常に日本語的になってきたんじゃないかな。

よく学校で感想文を書けって言うでしょ。感想文はその子が思ったことですから、あれ意味ないんだよね。国語の教育で叙景文というのはほとんどなくなっちゃったんだけど、これ僕ね、非常に気になっているんだ。なぜかって言うと、これ完全に記載なんですよね。事実を言葉にする。例えば風景ですね。こういうのは典型的に面白くない作業なんですよ。だからなくなった。

――そこには主観が一切入らないわけですね。

養老　入っちゃいけないんです。今、イギリスの法医学者の半自伝を読んでいるんですけども、彼らの伝記というのはまさに日本語でいう「淡々と書かれている」ので、あれは英語の良さかな。ああいう英語を使っている限り、ある種、客観的にならざるを得ない。日本語だと上手に物語ってしまう。気持ちには嘘をつけないんですね。

名越　仏教をちょっと研究していまして、お経を読む時も、それから空海の著作を読む時も、空海が書いている事実を認識している人が少ないですよね。「ありがたい」とか「やさしい」とか「許されてる」とか、情緒で読むんですよ。いや、空海ってもっとぶっ飛んだこと言ってるんですけど。たぶん、空海の書いたものをそのまま英字論文の方に読めば、非難しているわけではなくて、僧侶の方々だけではなくて、世の中のほとんどの人は「もう一遍修行し直そう」と思いますよ（笑）。ものすごいこと書いてるから。

例えば、あらゆるものがつながりあって動いているということが、手のひらの上に置いたように分かるとか、見えるとか。本当に見えたと書いてあるんですね。たぶん、空海はそれをまさに実感として書いたと思うんです。それでないと、あれほど詳細な文章を書かないはずなんですけど、あんな文章も日本人のマインドだと情緒的に読めるんだなあと思っていましたけど。なるほど、この乖離はそういうことにあるのかと。

――歴史的に延々とつながってきているということですね。

養老　なんたって和歌ですからね。だから実朝とか西行というのは目立つんですよ。実朝の叙景歌にバカみたいなのがあるんですけどね、

箱根路を　わが越えくれば　伊豆の海や　沖の小島に　波の寄る見ゆ（源実朝　金塊集）

その島ってどこだって（笑）。

SNSの世界になってから、人の気持ちを伝えるみたいなものがかなり優先してきましたね。それで炎上したりなんかする。気にいらないとかね。ああいうのは事実関係はあまり問題にならない。事実が大事だって言ってるんじゃなくて、表現されたものの中に（事実が）入ってこない。この間もどこかに書きましたけど、文学が変わってきちゃった。

名越　「さざ波」って書かれて参与をやめた方がおられましたね。さざ波とは何だって。

死んでいる人もいるのにさざ波とは何だと、何か、その（炎上パターンの）典型かもしれないですね。

選挙について

――コロナ禍では、地方の首長の言動が目立ちます。

養老　まあ、日本の今の制度では、地方の首長の方が何か自由度が高いように見えますね。川勝さん（川勝平太・静岡県知事）なんか典型だけど。リニアが止まっちゃったじゃないですか。

名越　愛媛の知事さん（中村時広知事）も、「自分は『まん防』は効果があるとは思えない、要求しません」と言っていました。まともな感覚だなと僕なんか思うんですけどね。

養老　知事の方が選挙民の本音を知っているんじゃないですか。東京なんかは一つ上になって抽象化しちゃっているけどもね。

――地方の首長は選挙民に選ばれています。

養老　まさに民主主義が機能しているわけですよ。中央の政治はわけが分かんない。

――世論調査などで国民の意識に、感染対策のための強権発動、挙げ句は改憲といった機運、風潮が出てきているようにみえます。

名越　その方が得するということが分かったんでしょうね。マゾヒストですね。

養老　なんかイライラするとよく出てくるんですよ。決めてくれって。学生相手に時々そう思ったことがありますよ。実習でグループを組むでしょ。「おまえら適当に4人でグループをつくれ」と言うのですが、いつまでたってもできなくて、「先生決めてください」って言うんですよ。

名越　不安なんですよ。

養老　どうしていいか分からない。機能集団みたいなものをつくるのが上手じゃないんですね。それは先の英語じゃないけど、アングロサクソンは上手ですよ。すぐ機能するようにつくり上げますからね。

――昨年（2021年）、総選挙があり、ネットではコロナでいろんな意見が出たにもかかわらず、投票率は55・93％と戦後3番目に低かった。有権者の投票行動についてはいかがでしょうか。

名越　僕も昔投票に行ったことをツイートしたこともあるけれど、人にすすめたことはないんです。みんな微妙に投票が素晴らしいというようにいうけれど、全然実感ないんですよね。

養老　紙に名前書いて箱に入れたら世の中良くなるかって。そんなこと考えてないよ。

名越　例えば、「ワクチン打ちますか」とか「マスクをつけるべき」とか、全部つながっているのに、あまりにも物事を単純に考え過ぎているように思います。投票率が低いからといって、テレビのコメンテーターの人たちが嘆いていたり、分析していたりしますが、投票で人を選ぶってことがどれだけリアルなのか、真実味があるのかっていうことも同時に思います。そういうことを言うと怒られるんですよ。これだけ長い間、血を流して民主主義をつくってきたのにと。でも、僕は納得できないと素直になれないタイプなので。

——政治制度そのものが機能していないということでしょうか。

名越　直せとか言っているわけじゃないんですよ。ただ、それに自分の心を込めるということはちょっとやりにくいということです。それは自分に嘘をつくことになる。すいません（笑）。投票率が高かった時に日本がそんなに幸せだったかなというと、そうでもない気がする。

国民の空気を読んで選挙に勝つ。選挙に勝つってことは、正直、政治家の80％の関心事でしょ。選挙に勝つために彼らは生きているわけで、日本の国を良くしたいと口では言うけど、行動を見ていると選挙に勝つことに躍起です。日本ほど選挙の多い国はない。

そうした中で、政治家が本音でどういう生活をしなくてはいけないかという事を抜きにして、政治改革と言ったところで、僕はそこにくみするのではなく、残りの人生を大切にしたいなという気になるんですよ。あまりにも空虚すぎて。

一貫して、僕、大学で講義する時に、「全ての社会改革は、結局頓挫します」とあえて言っています。社会改革の基本に、人間はお互い仲良くとか、幸せを求めているとか、社会正義を追求する、といったことが前提になっている。人間の心なんてまだまだまったく未熟で一瞬にして変わるわけですから、政治改革や社会改革は全て頓挫します。

社会の目まぐるしい移り変わりに流されずに、もうちょっと違う、まあ僕の場合は心理学や宗教心理学ですけれども、そういったもうちょっと普遍的な、人間自体に及ぶような学問をしましょう、と提案するんです。

もちろんこの意見に反対の人を認めます。でも、僕はこれ以上のことを知らないから、それがつまらないんだったら授業を受けていただかなくて結構ですと、いちばん最初に言うんです。もしかしたらよけいみんなが選挙に行かなくなるかも知れない（笑）。

環境を破壊した補助金行政

養老　僕はずっと戦後を生きてきたんですけど、結局いちばん関心があったのは虫捕りですからね。環境に関しては徹底的に悪くなっていったんですよ。いまだに悪くなりつつある。

自民党の総裁選（２０２１年９月）があったじゃないですか。あの時、４人の候補の討論を珍しく見たんですよ。ところが、その討論の中に、日本の環境のことについて触れた内容は一つもなかった。この人たち、僕がいちばん重要視していることに一切関係がないんだなと思いましたね。

名越　日本は国土の７割が森林です。それを無視している。

養老　去年、赤とんぼがいないっていうんで話題になりました。実は、前からだいぶ問題になっているんですよ。虫がいないんですよ。昔を知っているとよく分かる。どのくらいいなくなったか。ホントに探さなきゃいない。

名越　昭和30年代、40年代は公園でちょっと大きな石をひっくり返すと、うじゃうじゃといました。そういえば、今は本当にいないですよね。

――農薬をはじめとする環境の変化が原因でしょうか。

養老　複合的でしょ。一言で言えるもんじゃない。相手が網の目ですからね。なんで網の目がこんなに粗くなっちゃったか。

例えば太陽光発電を進めようということでパネルを置いたけど、日が当たんないから、上の雑木林を切ったとかね。いろいろ揉めてますよね。

風力はね、紀伊半島の付け根の山のてっぺんに、山脈に沿って大型の風車をずーっと置く案があってね、どこかの会社がやろうとしたけれども、これを三重県知事が止めてね。それで知事さんも結構働いてるなって思ったね。リニアを止めてる川勝さんもね。

太陽光のパネルも政府が補助金を出すから、お金になる間はつくるんでしょうね。補助金行政がいかにダメかってことを、みんな知っているはずなんだけども。日本全体が花粉症になっているのは、戦後に杉を大量に植えさせたからですよ。1本いくらでって補助金を出した。ダメなんだよ、そういうのは。

名越　僕が間違っているのかな、再生可能エネルギーとか、いろいろそれに関するものを読んでみても、こんなものが代替できるわけがないだろうと思っています。3つ4つ表とかグラフを見れば中学生の知識があれば、あれ？　と分かるのに、あと温暖化のことについても、どれだけ信憑性があるのかと。

気候学者に言わせると、もう長い間、温暖期が続いていて、いつ寒冷期が来るか分からないということを読んだりするのに、当代一流と言われている学者たちが国連に集まって温暖化を何とか止めろって、そんな大それたことが本当に分かっているのか、僕はどうしても躊躇してしまいます。怒られるでしょうが、それどころか金以外の何が原因か分からないですよね。

それも複雑な議論ではなくて、まったく多様な議論が起こらない。じゃ、試してみようと。2年試してダメだったら仕方ない。そんな動きもない。何兆ドルも動いていて、そのお金の巨大な歯車の慣性力でずっと動いている。

簡単に言うとですよ。権力かもしれない。片一方に回りだすと、それに乗っからないとという人間の癖、あまりにも単純なことで何兆ドルも動いている感じしか、どうしても僕は受けないというのが本音なんです。

温暖化？　寒冷化？

養老　温暖化についてどのくらいの人が信用しているんだろう。たばこの問題によく似ているね。象徴的だったのは、「不都合な真実」ってあるじゃないですか（アル・ゴア元アメリカ副大統領の著書）。前半が炭酸ガスによる温暖化で、後半が姉さんが肺がんで死んだ時に医者が「たばこを吸ったからだ」と言ったという極めて単純な話を書いたんですね。アル・ゴアは当時クリントン大統領の下で副大統領でしたからね。要するにこれは全て政治問題だなあと思ったんで、政治が嫌いだって昔から言っているのは、そういうことなんです。

政治的な話題に口を出すと、プラスマイナス、賛成反対で、もうケンカになるに決まってるんですから。うちの中では女房が政治のことを言った時には、絶対黙ってる。賛成も反対もしない。そんなことでうちの中で揉めてもはじまらないからね。

名越　僕も「不都合な真実」を映画で見てコメントを書かせてもらったんですが、どこまで自分として責任持って言えるだろうと思って。とっても面白い映画なので、考えあぐねて「ゴアの説得の時の真摯さはたいしたものだ」ということを書いたんですよ。

そうじゃなくて、地球温暖化について何か書くべきだったんだろうけれど、やっぱり僕はその時点では、それはとても確信持てないなと。

――ゴアのお姉さんが喫煙者で肺がんで亡くなってからアメリカでは禁煙が当たり前な状況になっていきました。日本でもそれを追随するようになってきています。

養老　そうですね。ホントによくアメリカの後をついて歩いてますね。日本の人たちは足元の、目の前の状況はとりあえず無視するっていうことですね。

禁煙のことを議論する時にね、そんなこと議論するひまねえよって。議論する時間あったら一服してゆっくりしたいよ。

――世知辛い世の中です。

養老　世知辛いというより、物事の軽重が分からなくなっていますね。軽い重いがね。最近の寒さなんて、僕、久しぶりにですね、本当の冬を感じています、今年は。逆に言うと、ここ数年間暖かかったんですね。先ほど、いつ寒冷期が来るか分からないという話がありましたが、実際、寒冷化が進んでいるんじゃないですか。これが本当だって思いますね。

名越　地球のことを小さい小さいというけれど大きいですよ。感覚って大事だと思うんですね。感覚的に納得できる、というね。養老先生の話じゃないですけど、ウイルスにとっては指紋が大渓谷だと。調べてみたんです。ウイルスがピンポン玉だとしたら、人間の体が本州ぐらいの大きさになる。そんな極小のものがどういうふうに動いているとかどうして分かるのか、とか。

例えばものの本によると、100ぐらい遺伝子が、ウイルスが入ってきても活動しているのは2、3個やと。あとはいわばモノなんですね。そういう世界なんで、それをね、どういうふうに回避するとか、どんな流れとかね、本当に僕たちは専門家も含めて彼らウイルスを把握しているといえるんだろうか、とね。

スケール感として、まさに物事の軽重、どういうスケールで物事を見るのかという問題を全部スルーしている。それはね、「分からないから賢い人に任せます」「僕には能力がありません」と言っているのと一緒じゃないですか。それを専門家が「こうですよ」「ああですよ」と言ったことを真に受ける。でも納得はしてないですよね。納得はしてないけど、考えることをあきらめていますね。

コラム──地中に存在する驚きの菌糸ネットワーク

養老　最近はね、山の木も菌類でつながっているって。全部、根っこが。モノのやりとりしているんですよ。

名越　粘菌みたいなものでつながっているんですか？

養老　例えばマツタケですね。菌糸。根の周囲を菌糸が取り巻いているんです。調べている人は自分の手で掘るんですよね、根の先まで。そうすると菌が出てくるんですよ。

名越　それは、木の皮が腐ったもののように思うけど、全然違うんですね。

養老　子実体というキノコが出てくる。姿態は菌糸ですからね。ハッキリ見えない、糸みたいな。そのネットワークが森の中には張り巡らされている。ときどき繁殖のために子実体の胞子をつくるために生えてくる。

名越　マツタケとかは寄生していると言われますが。

養老　寄生じゃない。共生ですよね。

名越　寄生って失礼な話ですよね。

養老　マツタケの起源ってよく分からなくて、樫とかね、アジアでは松じゃなくて、別な木で。アカマツを日本に持ち込んだので、その時に付いてきたか、日本にいたやつが一緒になったのか、よく分かんないんですよ。

名越　もしかしたら東南アジア的なとこから来た可能性があるわけですか。

養老　もちろんありますね。アカマツもおそらく移入種じゃないかって。アカマツは場所によって遺伝子があまり違わないんですよ。ということは非常に新しいということです。

名越　そうか、結構最近来た。

養老　そうです。

名越　アカマツに乗ってマツタケはもしかしたら。

養老　その可能性もあるし、もともとシイ・カシ類に付いていたものがちょうどいいホストができたんで、こっちと仲良くした方がいいと思ったのかもしれない。

養老　ラオスに行っても、ブータンに行ってもマツタケはいやほど採れますよ。ラオスなんかバケツ１杯分買ってきて５００円ですから。あんなものを食べるのは日本人だけですからね。ブータンが典型ですよ。地元の人に頼んでおくと、帰る日に採っといてくれるんです。

名越　向こうの人はあまり食べないんですか。

養老　全然食べない。ブータンは特に食べません。ブータンじゃ〝坊主のペニス〟って言うんですよ。

名越　開いてない場合はそんな感じですね。（一同笑い）。ネットワーク系って、微量な元素のやりとりをしているんですかね。

養老　でしょうね。

名越　それが何かバランスに必要だったりするんでしょうね。

養老　細菌の防御になっているんですけど、ペニシリンの青カビじゃないけど。あんなのも全部、そういうものに移るでしょ。

名越　今の養老先生の話を聞いて、まさに菌類がひと山の木を全部ネットワークにしているように、僕にとっては自然の中に定期的に入っていくことが、自分を取り戻す、まともな神経を取り戻す必須作業なんですよ。コロナになってから、リモートのカウンセリングで「好きなモノってどうやって探したらいいですか」という新手のキラー質問が出てくるようになったんです。きのうも、「やらなければならないことと好きなことの区別がだんだんつかなくなってきた」と。そこで、「嘘でもいいから毎日10分間、山を見つめたら」と直観的には言うんです。「とりあえず1カ月、山を見つめて、それからもう一度来て」と言うんですけども。

養老　アプリで植物の名前調べたらいいですよ。スマホで撮れば、教えてくれますから。木の一部でもいい。自分がそこらで見ている植物がなんていう名前か分かりますからね。調べたければその先、いくらでも調べられる。ただ散歩するっていってもやることないでしょ。これから花が咲くから、それもいいですよ。

名越　それは、やることがあるからホッとすると思う。「山見たら」と言ったらなんとなく不安げな顔していました。

――夜の山で星空を眺めているひと時は最高ですね。

名越　そうそう、ドイツの若い哲学者（マルクス・ガブリエル）の「思考は感覚じゃないか」ということが、（山へ行くと）本当によく分かります。

第2章

ロシアのウクライナ侵攻から1カ月ちょっと経った4月初旬、ようやく箱根の山中にも春が訪れ始めていたが、大涌谷周辺にはまだ雪が残る寒い日の対談。

建築家、建築史家である藤森照信氏の設計による建物内には大きなホールやライブラリーがあり、所蔵されている昆虫はゾウムシなど10万点超になる。ホールにあるガラスケースに展示されているゾウムシの標本を眺めている養老先生は、まさに忘我の境地。心ゆくまで虫との会話を楽しんでいるかのようだ。

ウクライナ侵攻と日本人の考え方

2022年2月24日、ロシアがウクライナに軍事侵攻を開始、国際社会に大きな衝撃が走った。

——長い歴史の中で、古今東西戦いが繰り広げられてきました。人類はなぜ愚かな行為を繰り返すのでしょうか。今回はロシアによるウクライナ侵攻です。

養老　ウクライナ侵攻の問題に関しては、いろんな見方があります。ひとつは、プーチンがどうのこうのというのは政治的な見方ですね。政治権力の話は私はまったく分からない。自分が政治家になろうと思ったこともないし、リーダーなんかなるつもりもないし、だから、そういう話は分からない。

もうひとつは利害関係です。これが微妙に利害と権力がからみあっている。ウクライナの場合だと、ロシアの軍事行動が許されないのは当然ですが、プーチンの行動思考の背景には食料危機があったのではないでしょうか。この数十年、西側諸国はウクライナの農地を買い占めてきたわけです。将来の食料危機という問題に対し、プーチンは、そうした状況をそのまま許しておけないと思ったのではないですかね。このままではいずれロシアもそうなると。

名越　世界的な食料危機が来るって、前々から言われていますものね。

――メディアの報道などは国際政治情勢や軍事的な分析が大半です。大本が抜けているんじゃないかと。

養老　そうですね。ただ、大本は考えたってどうせ分かんない。

――プーチンという独裁者を生み出したロシア社会についてはいかがでしょうか。

養老　僕はあんまりプーチンがどうのこうのって気にしない。この先、仮にプーチンが退いたとしても、あの社会では、また別なプーチンがあらわれますよ。それは日本人の考え方。「なりゆき」ってことですね。

名越　なんかチューブの上をちょっと取ったら、また次の中身が出てくる感じですね。

養老　そういうものはどうにもならないでしょ。何世紀もやっているから。農奴制以来のことですからね。だからロシアはいまだに農業国家で、さっき言ったように土地の所有権が非常に問題になって、そういうところが気になるんでしょうね。僕はあまり直接知らないけれども。

――世界はそういうことを理解できているんですかね。

養老　理解できるっていうのは日本人の常識みたいなところがあって、自分たちがやったからですよ、明治維新を。戦後もやったでしょ。まったくの異文化を持ってきて、同化させるという。ものすごく楽観的というか。そんなものうまくいくわけない、アフガン見ても、イラク見ても。

日本だけが例外的にうまくいっちゃった。本当にうまくいったのかどうかは分かんないけど。実は、あるところまではいっているわけですよ。国民の間で何百年もやってきたことを平気で切り替えちゃって、そういうことが可能だって（日本人は）頭から思っている。

――そのうち日本が攻め込まれて北海道や沖縄が危ないという声が出ています。

養老　そういう考え方をする人は話が逆なんじゃないか。ロシアはあっちで忙しいんだからあり得ませんよ。

先のことで心配するのなら、それよりも２０３８年にも発生するかもしれないと言われている南海トラフ地震とその復興問題ですよ。その時、巨額の復興資金を出す余裕があるのはたぶん中国だけなんですよ。そういう時は背に腹は代えられないから、いろんなものを輸入して、食料とかやっていかなきゃいけないでしょうね。

その時に金がなかったらどうしようもない。それを出してくれるのは中国だけでしょう。最悪の場合、日本が身売りしなきゃいけなくなる。そうした事態に適応することを考えた方がマシだということですよ。

社会をこれまでのように続けていくつもりなのか、分散型の社会をつくっていくのか。被害をできるだけ小さくすることを今から考えていかないと。将来の生き方まで考えなくちゃならない。16年後というと、ほとんどの人はまだ生きています。私は死んでますけど。

名越 そんなことないですよ。

養老 101歳ですから。

食料難のことですけど、その時物流が止まりますから、食べ物が一番ピンチですね。今回、エネルギー問題もクローズアップされていますが、当然、エネルギー不足となり、大停電にもなりますよ。なんとかやりくりするといった状態でいいんですかね。別にいいも悪いもないんだけど。問題はどう解決していくか、自分たちの問題ですから。

――ウクライナ侵攻に限らず、相手の価値観を分かりあうということは無理なのでしょうか。

名越　ウィル・スミスのアカデミー賞授賞式での行動に多くの言説が飛び交いましたね。もっともなんだけど、一方で自分も含めてバカバカしくて。評論するまでもなく、暴力がいけないことは、小学生だって分かります。

そうじゃない。でも、しちゃったよねということになぜ興味を持たないのか。（暴力はいけないという）正しいことを言っている自分を認めている。自分が正しいことを言えたら自分だ、ということですかね。

自分の座る位置を確保するためにやっていることと、本当に考えたいことがずれていませんか、と思ったりしますね。

少子化と脱成長社会

養老　去年（2021年）の人口統計で、出生者数が過去最低（84万人）になりました。それは10代、20代、30代の死亡原因のトップが自殺ということに関係しています。要するに、今の日本は子どもに価値を置いてない社会になってしまっているということです。別にそういう社会をつくろうと思ってやってきたわけじゃないんでしょうが。

――どこかで変えていかないと。

養老　そうですね。これをこういうふうに、ああいうふうに変えるといってうまくいくわけじゃない。だって、いま言ったように自殺が多いのも、自殺を増やそうと思ってみんながやってきたわけじゃないんでね。

去年あたりから思っているんですけど、ヨーロッパあたりで「脱成長」ということを言い出しています。現代の資本主義社会では、成長を続けていくことが問題だというわけです。ところが日本を見ると、ここ20年間、デフレでGDPが増えてない。日本はすでに脱成長じゃないか、と僕はいつも思っているんだけど。

――サラリーマンの年収も20年前と変わっていない、それどころかちょっと減っています。

養老　実収入は低下する一方です。それを脱成長というんじゃないかと思うんです。なぜか知らないけど、我々は何かにつけて欧米の基準で判断しますけど、それでみると、経済の人は「デフレでしょうがない」ということになるし、実はそうじゃなくて、環境問題やエネルギー問題その他を日本人がよく考えて、ある意味ではそれが行き渡ったために、実は実質的に脱成長になっちゃった。

アメリカなんかそういう意味でまったく反省していない。国民が全部かぶっているわけですけども。それ（脱成長）をポジティブに言う論者はいないですね。日本はすでに脱成長しちゃったんだって。脱成長って世界で言っているのは、このこと（今の日本の状況）だよって。そういうふうには取らないんです。

――戦後は常に成長神話を求めてきました。

養老　だって、実態で考えたら経済が上向くにはエネルギーを必ず消費するわけですから、エネルギー価格は上がるに決まっています。既に上がっていますけどね。そんなことは何十年も前から分かっていたことで、ローマクラブのころからですからね。

そうすると結構、日本人って、わりあい均質でものを考えるから、ひとりでにブレーキをかけていったんじゃないかな。ここのところのデフレっていうのは、安倍さん（元首相）がなんとかしようと思ったんだけど、どうにもならなかった。実は、それには非常に大きな背景があるわけです。

みんなが錯覚していたんです。政治が何か号令かければ動くって。少子化の問題も含めて号令をかければなんとか動くって。大臣つくって政策を作り、子育てにお金を出したら増えるかって、そんなもんじゃないと。日本全体の状況を見れば、意識としては、分かっているといえば分かっているんですよ。

——分かっているのに変えられない。

養老　だよね。一つはアメリカにくっついているからですよね。この影響は大きすぎる。いろんな意味でね。

——名越先生、大学教育にかかわられていて少子化問題や今の学生の気質をどうご覧になっていますか。

名越　すごく単純に言うと、大学生活が充実してくる時って、その前にまず目の色が変わるんですよ。何かこう、しつらえたものを与えられたり、これをやっておきなさいという形じゃなくて、「おれ、なんかやりたくなってきました」みたいな、その細胞が変わるというか、生気に満ちてくる。その段階をどうインスパイアするかっていうことが、僕なんかの立場からすると大事なんですね。でも、その段階は完全にすっ飛ばされている。ずっと言われるのは、「先生どうしたらいいんですか」ということ。

養老　やってみなけりゃ分かんねえだろう。

名越　あなた、その前に何かに手付けてるのとか、手付ける前に体温まっている？　というところが完全に抜けているんですよね。どうすればいいかということを教えても体が起動しないと無意識レベルの集中というものが立ち上がらない。つまり一般によく言う「集中力」が出ないんです。

　なぜかというと、個として動くことが嫌なんでしょうね。自分が動くことがリスキーだと判断している。誰かに言われて動くとか、鋳型ができたから型にはまりなさいというパターンだけで動く、それが得することで、自ら動くのはリスキーであることをもう条件付きで無意識の部分で覚えてしまっている。あるいは動く前に何を調べたらいいのか、段取りをどうしたらいいのか、とか。

これ、自分でも分かりますよ。僕もバンドやってるでしょ。これインスタとかでつないで、全体としてつながったらどうなるんだろ。やったことないから分からないな、となると途端におっくうになる。

で、やっぱりそれではいかんと分かって、そこのボーダーを超えて行くんじゃないかというヤツを探すと、大概そういうヤツは目の色が変わっている。それで、こいつ目の色変わっていると思って、その人に相談すると、なんかね、感染してくるんですよ。感染すると今までのいろんな見え方が変わっちゃう。その感染することも嫌がっている感じがしますね。感染するとこっちが熱を帯びて温まってくるという経験があるんですけど。

——受け入れるという気持ちもないんですか。

名越 感染恐怖症です。この間池田清彦先生のユーチューブを見ていたら、先生いつから心理学者になったんやろうというぐらい、すごいこと言ってました。「皆さん、コミュニケーションの意味分かっていないですよ」と。「コミュニケーションというのは相手と自分、両方変わっていく時にコミュニケーションなんですよ」とおっしゃるわけです。そんな定義どこにあったっけというぐらい、素晴らしい発言でした。僕はやっぱり、そこら辺から考えてしまうんで、社会がどう変わったといっても、全部すり切れそうなタービンみたいに思うんですよね。

養老　今日はお客さんがいっぱい来ているんですけどね。一人はラオスに30年いた若原（弘之）君。今ラオスは外国人が行けなくなっちゃっているんで、ガイドみたいな仕事をずっとしてきたんですけど、仕事がないんで戻ってきた。それと小林（真大）君っていうここ2年半、ラオスで蛾ばかり採ってた青年がいますよ。学校なんか行ってない。ブレイクダンスやっているんですよ。

――ラオスからのお客さんのお話をうかがうと、自由に自分の意思で生きていらっしゃる感じが伝わってきます。まさに脱成長時代の生き方かなと。

養老　やっぱり周りの人を見ていると、それこそ自己責任と言いたくなりますね。自分で自分の居心地のいい状態を分かんなくなっちゃっている。（問題は）親の世代から起こっちゃっていることだからね。子どもの相手しているとよく分かりますよ。

名越　子どもって、親が知らない世界ですごい才能を発揮します。親はね、子どもに言いたいことだらけなんですよ。でも、それでは子どもからは何も意味のある言葉が出てこない。おまえ、その前にこれをやれ、と言われるに決まっているから。じゃあ聞いてやるから言ってみろ、ではもう自動的に体も心も閉ざして膠着《こうちゃく》するばかり。相手に開かれた心身の状態というものを大人が忘れている。心地のいい場所も探せないはずなんです。

——最近、将棋や音楽の分野で活躍する若者が出てきていて、脱成長社会の中での可能性を感じます。

名越　将棋だとあまり金を使わなくてもいい世界ですね。

（トントントン、と机をたたく音。養老さんが虫の標本の入ったテーブルを叩いてニヤニヤしている）

養老　この世界は元手いらないよ（笑）。ここにいる小林君なんかそうですよ。2年半、ラオスにいたんだけど久しぶりに帰って来て、いやっていうほどゾウムシを持ってきてくれて。これから標本つくったり、整理したり大変ですよ。

明治維新以来の変革期

――明治維新後の日本人、日本社会のストレスのお話がありましたが、それは現代に至るまで引きずっていることなのでしょうか。

養老　僕なんか、それで起こるストレスを抱えて生きてきた気がする。こんなこと（昆虫の標本づくり、整理）をやっている時がいちばんいい。自然科学で言えば、いちばんプリミティブな作業ですよ。いちばんプリミティブな作業ならストレスなくできるんですよ。

名越　それに近い単純な言説ですけど、成田紛争が起こった時に、あれは日本の無意識がさせたんじゃないかと。要するに促成栽培で明治維新をやって、やはり無理やり戦後民主主義をつくったのですが、日本人のメンタリティーは全然ついていってなかった。そこで無意識が反発して農民一揆が起こった。それが成田紛争じゃないかという分析があります。

養老　明治維新の反動は西南戦争ですよ。だから西郷隆盛がなぜ偉いのかということ。たぶん、（歴史の）裏を全部象徴しているのです。

名越　多少は（ストレスを）昇華させてくれたということでしょう。自己犠牲という言い方もできるかも。

――南海トラフ地震で大きな環境変化、変革期を迎える可能性がある中で、我々はどう立ち向かっていけばいいのでしょうか。

養老　この国で初めて、政治とか経済じゃなくて、それぞれの人の生き方が問題になってきますね。どういうふうに生きたらいいかって。何といっても、第一に子どものことを考えなきゃいけない。今の時代、子どもがハッピーでないのはハッキリしていますからね。それでなければ、自殺が若い人たちの死因のトップになるなんてあり得ないですよ。いちばん元気がいいころですからね、10代、20代、30代っていうのは。80代が元気な世の中っていうんじゃ話にならない。

名越　その通りですが、でも私の周りの80代ってどこか違うんですよね。戦後ずっと人間が小さくなってきたじゃないですか。そうした中で80代の人は地に足が着いているというか、開き直っているというか。そこは違う気がするんですよね。

うちの母親もあるところまでね、ささいなことを心配したりするんですけど、どうしようもないと思ったらパッと開き直るんですよ。あれは確かに戦争体験みたいなものがあるのかなと感じます。いいか悪いかは別にしてパッと開き直るんですね。

――終戦後、教育から何から百八十度変わったわけですから。

名越 そうそう、なるようにしかならんとね。そんな姿勢で生きているような感じはしますけどね、うちの母親は。細かいことを言いつつもいざとなったら捨てようと。そういうのはあるのでしょうね、本能的な感じで。

決して安直に結び付けられないのですが、人生の初期に焼夷弾《しょうい》をバンバン落とされた経験とどう関わっているのか。離れの良さというのはあるような気がします。

――明治維新、戦後を通じて、日本人には常に自己の確立というテーマがつきまとっています。

養老 もともとないんです。無我ですよ。

名越 無我が滅私奉公になって、会社に対して無我の心境で奉仕するという日本社会のこれまでのあり方が、やっぱりまずいんじゃないんですかね。僕はそう思うんですけども。うまいことといった時期はあって、それは素晴らしいと思うんですけど。今はまずいんじゃないんですかね。無我になるんだったら大自然に向かってなるべきですよ。木と一体となるとか。

養老　そこも大きいですよね。個の確立とか言いたがるんですよ。教育のシステムの中でね。あれ混乱させますよね、自己実現とか。自己がハッキリしてないのに。

名越　結局、それだと刹那主義になりますよね。それもいいですけどね、別に。そこは整理した方がいいかな。日本人にとって自我とは何かということ、もうちょっと一般化して欲しいですね。

養老　高橋秀実《ひでみね》さんのね、「道徳教室」（ポプラ社）という本があるんですよ。小学校1年生の道徳の教科書から始まって、面白いなと思ったのは倫理という言葉がひと言も入ってないんですよ。これたぶん、日本の特徴じゃないかと思うんだけど、道徳って科目があるのに、（教科書に）宗教が一切ないんです。宗教がない社会で倫理、道徳っていうのがそもそも成り立つのか。これは面白い見解です。

自己もそうで、その裏にあるのは〝最後の審判〟でしょ。つまり、この世の終わりに、全ての人が神に懺悔《ざんげ》する。自己がないと一体誰が裁きを受けたのか分からなくなってしまう。

つまり3歳の私が裁きを受けるのか、20歳の私か、50歳の私か、80歳を過ぎてぼけた私か。最後の審判の社会は、人間の一生を通じて一貫した私というものがなければいけない。それが最後の審判で神の前に行く。その人のやったことの良し悪しは、この世が終わらないと分からない。

私が何か言ったことが誰かに影響を与えて何かしたとか、その人が何かしたことがもしかするとこっちの責任かもしれない。この世が終わればその問題がなくなる。だから、紀元前によくあんなこと考えたなって思いますよ。

名越　すごいスケールですね。

養老　日本には最後の審判なんてないですから、初めから。俺とは何だって。20歳の俺か、80歳過ぎた今の俺かって。

根底にある「みんな」

名越　ある宗教の宗派はすごくそういうことを考えています。自分だっていつ人を殺すかもしれないと言った有名な高僧がいました。なかなかシュールだなと思ったんですけど。一瞬、後に自分がどんな悪事を働くかしれんから、分からないよというお坊さんの話を聞きましたよ。

――宗教や倫理がない道徳の実態はどうなっているのでしょうか。

養老　「みんな」。子どものころから、みんながどうするのか、それぞれ自分の意見があるのは当然として、みんなはどう思うでしょうか、というものです。日本の社会の根底にあるのは「みんな」のです。

名越　怖いですね、そういうふうに取り出されると。

養老　みんなって何でしょうって。高橋さんの本って、現代社会を扱ったものは非常に面白いですね。最初は「からくり民主主義」（新潮社）。原発と基地の街を取材しているんですよ。必ずそういうところは住民が賛成、反対がいる。比率は51対49がいちばんいいんだって。賛成51、反対49というように、ギリギリでないと政府から出るお金が少なくなる。反対が9割を占めたらお金が来なくなるというわけです。

名越 集団知ですかね。陰で相談したわけじゃないでしょうから。

養老 なりゆきなんですよ。

賛成派と反対派がその街へ行ってみると、反対した人はあそこの薬局のおやじとか分かって、仲悪くなかったりする。

名越 ある意味成熟していますね。

養老 そうです。政府を外部化してね。あいつらがいちばん金出すのは、こっちがどうあればいいかってこと。

――昔の方が（組織などで）同調圧力が強かったのではないですか。そうした中で、養老先生は社会とのかかわりと科学者としての生き方を両立されてこられました。

養老 それは相当なストレスでしたよ。そのストレスの原因を突き詰めていったら、さっきの明治維新と戦後の変化になっちゃう。自己とかね、本当にそういうことを、みんなまじめに考えた方がいい。（社会やストレスと）うまく付き合うなんてできなかった。だから辞めちゃった。降りたって感じ。

――科学的に生きるということに悩まれていたというお話が印象的でした。

養老　自分の中の必然として科学的にということになるんですがね、（現実は）なかなかそうならない。

名越　その根本が明治維新の過ちということですよね。自分の気持ちのいい服を着せてもらっていないというか、合わないというか。

養老　服に合わせろってことだったわけです。

宗教に縛られない社会

――日本の根底には「みんな」があるということでしたが、宗教はどうなんでしょうか。仏教も神道もありますが、日常生活に深く根差しているというわけではありません。

養老　ある調査で、日本は世界で最も世俗的な社会だという結果が出ていました。世俗的というのは宗教色がないということです。

宗教といえば、個人的にいちばん印象深かったのはC・W・ニコルだね。亡くなりましたけどね。彼は日本に何十年もいて、帰化していましたから、自分のことをウェールズ系日本人って言っていましたよ。彼に「日本に来ていいことありましたか」と聞いたら、ひと言「宗教からの自由」と言っていました。

彼らが日常的にいかに宗教に縛られているかということですよ。自分が縛られていたことに気が付いたんでしょうね。日本人の「みんな」と一緒で、暗黙に縛られているんですよ。

――宗教からの自由という概念に、日本人は気づいていないんですね。

養老　まったく。道徳の教科書に宗教のしの字もないんだもの。憲法で教えてはいけないことになっていますからね。

――政教分離ですね。学校教育でまったく取り上げないのはどうなんでしょうか。

名越　すごい社会ですよね。それができた時点で世界でも歴史上でも本当に異質なことを起こす。

養老　明治維新で体制をひっくり返そうとした江戸幕府も元々そういうもんだったんですよ。そういう背骨がない。だから彰義隊3000人で終わっちゃったんですよ。最後は。

名越　そうですよね。将軍といったら、どこかで戦争してるから将軍ですからね。300年間戦争してませんという体制でいたってことは、考えてみればすごい虚構をつくって維持している。つまり背骨がないので虚構で押す。

養老　心理学で日本史を本気で見直してくれないですか、名越さん。なんでそんなに簡単にひっくり返すことができたのか。言ってみれば無血革命ですよ。社会は政治で動いているわけじゃないということ。日本人の感覚でね。

――やはり暗黙の了解でしょうか。「なりゆき」でしょうか。

養老　なりゆきです。そうすると丸山真男のたこつぼ文化になるんだよ。

名越　無関心ではないんですよね。こっちに行ったらまずいなあ、自己擁護的な動きであったとしても、感覚的に研ぎ澄ましてなりゆきで生きているんですよ。ピリピリしながら明文化できないものを嗅覚でかぎ分けて生きているから、なりゆきの中身は決していい加減ではない。だからなりゆきをひっくり返すこともできない。

養老　一番印象に残っているのは昭和天皇の開戦の詔勅ですよ。今回不幸にして米英と戦争をすることになったと説明したうえで、「洵に已むを得ざるをものあり、豈朕が志ならむや」（開戦はまことにやむを得ないことで、私の本意ではない）。

なりゆきで英米と戦争することになった、自分の意思ではないとはっきりと言っているんですね。そういう人に戦争責任を問えと言っても意味がない。だってなりゆきなんですから、戦争になったのは。

――宗教に戻ってしまいますが、〝なりゆき〟に似た言葉で〝神の見えざる手〟という言葉があります。

養老　アダム・スミスの「国富論」に出てきますが、元々は超越者を前提にした宗教の教えなんですね。神さまにしてみれば、また俺のせいにしやがってということになるんでしょうが。

日本人はそれを「神の見えざる手」って言わないんだよ。「やむを得ない状況」って言うわけです。それは非常に客観的で、あらゆる条件を考慮に入れたけどということです。そんな、全てを考慮に入れられるわけがないけどね。現在の自分としてこれで精いっぱいですよと。

ものすごく客観的なんですよ。じゃ、最後まで客観的で通すかというとそうじゃない。不思議な国です。世界でいちばん研究するに値するんじゃないかと思いますよ。何で、ひとりでにこうなるんだって。

名越　ですからね、この国は残しておくべきだというのはそこですね。こんな特殊な文化は世界のどこにもないから、何かの時にすごく有用になるかもしれない。欧米のように一神教だと全部ぶつかるじゃないですか。残しておくべき文化ですよ。

これを壊して主体化しようというのは絶対に間違いだと思います。先ほど養老先生がおっしゃった、なぜ江戸時代は３００年間続いたのかという研究は非常に大事かもしれませんね。

――それを歴史学者ではなく、心理学者がやることに意義があるわけですね。

名越　僕は2つの考え方があって、鎌倉時代に武士が誕生してここから日本が始まる。もうひとつはいちばん長かった平安時代から始まったというものです。長かったというのは一つの証明で、平安時代がなぜあんなに長く続いたのか（約390年間）、ものすごく興味あります。平安時代はもっと幽玄の世界で霧の中に消えていくような空気感があるじゃないですか。

――平安時代と言えば宮廷文化ですが、町民や農民の文化は残っていますか。

養老　記録にはほとんど残っていません。「今昔物語集」や「宇治拾遺物語」などから様子を探るか、一部の古記録を探すしかないでしょう。きちんと残っているのは上澄みの100人、200人の貴族の世界ですよ。そこにも主体化した人はほとんどいません。

僕、最近こういう話をしたり、原稿を書くのもそうですが、何とか、みそひと文字（三十一文字）で済まないかと思っているんですよ。年をとったら、どんどん日本人になってくる（笑）。

名越　でも、それがいちばんたくさん内包しているとも言えますね。論旨を追求すると先細りしていきますものね。

養老　しゃべる方も読む方も疲れるばっかりだよ。何かみそひと文字でできないものかね。

中国について

――日本が「脱成長」期に入ったとの認識でしたが、その間に隣国・中国の存在感が急速に大きくなってきました。貿易をみても輸出、輸入ともに中国なしではあり得ない状況になっています。

養老　いざ大地震のようなことが起きた時、日本はどうするのか。本当にやってみなけりゃ分かんないけれども、この列島でほとんど出入り（輸出入）なしで暮らせるのかと。

名越　高名な武術家の先生は、鎖国して国内で回していくべきとの立場ですね。いろいろ考えるとそれがいちばんいいというわけです。開いていたら中国に全部やられてしまうことを危惧されています。

養老　歴史を振り返ると、中国の勢いが盛んになって大きくなる時、日本はいつも鎖国なんですよ。唐の時がそうでしょ（遣唐使以外は渡航の行き来を禁止していた）。明の時もそうです。江戸時代の鎖国になっていく。中国が大きくなる時、日本は逆に小さくなっている。今はグローバルとか言って、その逆をやっています。

中国を国と考えちゃいけない。カテゴリーのボリュームが違い過ぎます。これはもうひとつの世界ですよ。中華で。メディアは言葉の使い方を考えてほしい。中国政府と言わないで北京政府と言って欲しいんだ。習近平が国家主席でいる間は。

名越　本来は7つぐらいの文化に分かれるんじゃないかと言われていますね。最低でも。

養老　そういう意味で言うと、中国もインドも全然違いますよね、いわゆる国じゃない。それなのに日本人は、フランスとかイギリスとかドイツとか、そういうのを基準に考えていますから。人口からいくと日本はそれの一番大きいやつですけどね。中国やインドと日本やその他の国々ではもはやカテゴリーが違うんですよ。

——中国、インドといった巨大な存在が世界各国の食料やエネルギー確保にも影響を及ぼしています。

養老　僕、詳しくは知りませんけど、今の中国は本当に大丈夫かなと、いつもハラハラしています。（欧米企業の参入を認めて）欧米流の資本主義を取り込んだでしょ。果たして中国人と合うかなって。

名越　今の中国は借り物の価値観でやっているのに、もう自分たちはアメリカ以上にうまくいくと思っているようですが、実は、それは内発的に発展してきたわけではないということですね。中国経済が傾いたらかなり大変なことになりますよ。

――中国国内だけで14億人。世界中の中国系住民も加えるとその影響力は計り知れません。日本も無傷ではいられません。

名越　日本だけでなく世界でそのような事態が起こる可能性はあって、阻止するためには分相応というか、体や心がついていくところからやり直すしかない。しかし、現実には、誰にでもあり得るその歪みの存在すら意識されず、話題にも上らないのです。

養老　やっぱり自分で立つしかないということですよ。今までは何とかごまかせてきましたけどね。バカみたいなもんで、散々いろんなことやってみて自分のところへ返ってくるという。この狭い島でどうやったら生き残れるかっていうことをよく考えろ、ということですね。

――話は変わりますが、中国と日本は文化の面でも歴史的なつながりがあります。

名越　書の世界をみると、中国にはすごい書があるじゃないですか。王羲之の書なんて、まさに漢字の基本を前提にして到達点みたいな感じで。何回見ても見事だなと思います。でも日本で書道というものが鑑賞法も含めて独自に歩んできたところがあることも事実だと思うんです。

結構、日本でつくられた熟語とかいっぱいあるでしょ。熟語をつくる必然というのは日本特有のものだったのかなあという気がします。4文字で全部表すみたいな。

――キャッチコピーですね。日本は学校から町内会まで標語をつくるのが好きですよね。

養老　きのう中国語版のネットフリックスを見ていたら、「一目ぼれ」というのを中国語で書いてあって。「一見敬愛」かな。

名越　それ一種の造語じゃないですかね。ちょっと意味が違うような気がするんですけどね。なんか日本語読みすると清廉潔白すぎますね。落語なんか一目ぼれの作品いっぱいあるけど、もっとドロドロしてますよね。

養老　岡田英弘さん（故人　東京外語大名誉教授＝東洋史学者）によると、中国語は非常に不完全だから、細やかな表現はないそうです。恋愛小説はないっていうんです。そもそも恋愛って概念がないって。助詞も変化もない言語だから。中国版ネットフリックスのドラマは面白いですよ。みんなが嘘ついて、嘘の付き合いみたいな話とかね（笑）。

なんでこんなにいろんな生き物がいるのか

——実に多くのゾウムシが標本になっていますが、長い歴史を生き抜いてきた虫たちには、厳しい環境の中で適者生存の原理が働いたのでしょうか。

養老　適者生存というのは19世紀、産業革命のイギリス社会のころ、（哲学者で社会学者の）ハーバート・スペンサーが提唱して、ダーウィンが進化論で用いた概念です。日本では昔から反対論が多いんです。（生態学者の）今西（錦司）さんがいちばん有名なんだけど。今西さんは「なるべくしてなる」と。

適者生存といっても一匹変わったってしょうがない。種が変わる時は種社会全体が変わるしかないと。「変わるべくして変わる」と言ったんですよ。こうなると進化論の論文は書けない。「変わるべくして変わる」となるとね。

名越　ダーウィンが、スペンサーの概念を生命に広げたということですか。

養老　当時は（それが）社会的な常識だったわけですね。周りを見るとそうだから。

名越　社会変革にものすごい勢いがありましたからね。

養老　適者生存で、素人から出る質問の一つは「なぜ人間だけはならないんですか」というものです。これは非常にいい質問で。（適者生存を突き詰めると）いわゆる生物多様性というのは消えちゃうんです。

　実はダーウィン自身が進化に興味持った時の大きな関心の一つが「なんでこんなにいろんな生き物がいるか」ということだったんですね。

　それで進化論にたどり着くんですけど、これも19世紀の科学と関係していると思いますが、偶然と必然というやつですね。

　偶然が必然に転化していった。要するに機械的に説明したんですよ、生物多様性を。それは物理で統計力学ができてくると、また関係あるわけで。考え方として。

名越　化学の実験なんかそうですよ。

養老　マクロの現象を分子なら分子、原子なら原子としてとらえていく。それによく似ているんですよね。統計力学に似ていますね。

名越　いろんな順列、組み合わせをやってみて、それが環境に合えば、その種が生き残るだろう。ざっくり言うとそんな感じですね。

養老　そうすると、どうしても（理論上で）落っこちていっちゃうのは「なんで、そんなにいろいろあるのか」ということです。完全な説明はできていないですね。

名越　それだったら一つに淘汰されていくはずですからね。不思議ですね。社会というのは一つの学説がいいんだという思想のもとにつくられているじゃないですか。でも、本当でしょうか。自然界からしたら逆行しているように見えてきますよね。どっかで行き詰まるやろうなって。

——先ほど、ラオスから若原さんにたくさんの虫を持ってきていただいたというお話がありましたが、いったいどれぐらいですか。

養老　分からないなあ。1000とか2000とか（笑）。彼は蛾が専門だから、蛾に至っては万のケタになるんじゃないかな。

——飛行機で国内に持ち込みはできるんですか？

養老　もちろん、(虫が) 死んでいれば問題ない。生きたものは無理ですよ。

名越　生きてるものは繁殖するから。雑種が生まれる。

――昆虫を眺めていると顔がほころんできますね。

養老　普段、そういう自然のものと共鳴する部分があるんだけど、それが満たされてないんじゃないですか。自然を見ていると、なんだか共鳴するんですよね。

名越　小さいころ、あったじゃないですか。石ころをひっくり返したらミミズから何からうじゃうじゃと。与えられたものじゃないから、なくしてしまった時に、こんな大切なものと思わないんですよ。環境っていうのは。公園で遊んでいる子どもを見てて、コミュニケーションを取るじゃないですか。でも、虫とか言うとキャーって逃げていく。そこで初めて、大切なものが失われたことが分かります。

――公園に行っても木の近くには虫がいるから近づくなと言う親もいます。それで子どもたちは遊具でしか遊ばない。

名越　この間、うちの子どもが風呂場から1時間も出てこなかったんですよ。長かったねと言ったら、「クモが排水溝に入ったから一生懸命救ってた」と言うんですよ。養老先生はクモ大嫌いですけど(笑)。うちの子ども、虫が嫌いだったはずなのにクモを触ることができるのかと驚きました。無事に救い上げて窓から逃がしてやったというので、よくやったなと。子どもってすごいですね。知らないうちにちゃんと壁を乗り越えている。

――養老先生が昆虫の世界に入られたきっかけは何だったんですか。

養老　良く聞かれるんだけど、そんなもん何もないんだよ。子どもの時から好きだったからですよ。犬のふん見てたら虫が来てたってだけですよ。

――これまで何カ国ぐらい採集に行かれたのでしょうか。

養老　虫捕りは10カ国行ったかどうかでしょう。虫を捕らない旅行もありましたからね。

――虫を捕っている時は童心に帰られるのですか。

養老　分かりませんねえ。それ童心っていうのかなあ。本来の自分ですよ。こんなの見てにこにこしている（笑）。（テーブルの上の標本箱に）張り付けたのが4つほど落ちているのが気になっちゃって。

――自然環境がどんどんなくなっているんですが、子どもたちにとって動物園や水族館ではだめなんでしょうか。

養老　だめだね。

コラム――健康談議(箱根昆虫館にて)

――藤森照信さん(東大名誉教授＝建築史家、建築家)が建てられた素敵な山荘(箱根昆虫館)ですね。お気に入りの点は?

養老　真四角をあまり使っていない点ですね。角が直角になってないでしょ。へんな吹き抜けですけどね。

――たばこの煙の臭いが気にならないですね。構造的にいいんでしょうか。

養老　どうでしょうかね。今来ているお客、全員たばこ吸うけども、たしかに臭いは気にならない。

――最近は行き過ぎたたばこ規制への見直しが出てきています。

名越　関西の女子大の学長さんと話したら、自分が学長になった時、喫煙所がとてもジメジメした暗いところにあったので、広々としてみんなから見えるところにしたそうです。

そうするとマナーも良くなったし、喫煙者と非喫煙者がうまくいっているというお話をされていましたね。

――駅前の喫煙所が少なくなってきてますよね。

名越　そんなにみんな嫌がっているんですかね。僕の周りで嫌がる人いないいんだけど。

養老　本当に吸いたい時にたばこを吸う時は、空気のいいところが、いちばん気持ちがいいですね。喫煙所で吸うたばこはおいしくない。

最近いちばん大変だったのが広島に行った時でしたね。駅の周辺に喫煙所がない。困りましたね。

仕方がないからホテルの喫煙所を使っていました。ただ、駅周辺に喫煙所がないようなところだから、一般の人（喫煙者）がホテルの喫煙所に入ろうとするからでしょう。喫煙所がオートロックになっていて宿泊客のカードをかざさないと入れないようになっていました。

――たばこ税は年間約2兆円もあるのに喫煙所が増えない。

養老　ネックは膨れ上がった医療費ですね。政府は医療費軽減をうたい、そこからさまざまな規制やたばこ増税につながっているわけです。

——健康至上主義ですね。

名越　どっちみち、人は最後は死にます。健康な人も死ぬわけですよ。では何がその人にとってのその年齢での健康なのか、ということを融通無碍にアレンジできる想像力を医療が手に入れておかないと、本当に不幸なことがたくさんの人の晩年に起きる気がします。無意識であればあるほど、健康強迫症ともいうべきものが人の思考を硬直させて、それが自分の頭で考えない現代人を量産してしまいそうで恐ろしいです。

第3章

6月2日。都内は気温が28度まで上がり、真夏並みの暑さとなった。3回目の舞台は東京・赤坂にある料理屋の2階。昭和の面影が色濃く残る建物で、くつろいだ気分での対談。

一服しながら語り合い、時間がたおやかに過ぎていった。

養老流メタバース論

――養老先生がメタバース推進協議会の代表理事になられましたね。

養老　皆さんメタバースというと新しい世界、空間ができると受け取られているでしょうが、僕は後ろ向きに考えているんですよ。将来に向かって残すということです。現状を。だから特に、ラオスの森とかそういう自然ですね。実際に行かなくても行った感じになれる。そのデータを取っていくと、100年たっても「100年前はこうだったんだよ」ということが分かる。

名越　それはかなり可能性あるんですか。においとか、湿気とか。

養老　そういうのは分からないですけど、まあ慣れている人なら分かるはずだね。ヒントはいっぱい出ています。どういう植物があるか、そういうことは残ります。

名越　ゲームで同じような経験をしました。「ラスト・オブ・アス」というゲームに不思議なシーンがあります。主人公の娘とそれを保護している中年の男性の疑似親子の話です。女の子は恐竜が大好きで、誕生日に森の中へ入っていくと、朽ち果てた博物館があるんですよ。そこに行ったらシーンとしていて、ゲームとまったく関係ない。その広い空間の中でシダが花開いていたり、恐竜の化石があったりして、それらを独り占めできるわけです。全部を見て回るのに最低30〜40分かかります。

終わった後、何かの操作をしたら、ふとゲームに戻るんです。あれは何なんだったろうって。それをやっている時、ゲームなんですけど、シダや森のにおいが実際にするような感覚に陥るんですよ。そこから出てきたら、アメリカの黄金期1950年代のクライスラーとかが朽ち果てている。ゾンビにやられているんですね。疑似親子はハイウエーを馬で脱出する。

ゲームをやる中で、生命の歴史とかアメリカの歴史を振り返らせる。永遠に思われる「今」が実は「一瞬の過去」に過ぎないということを、いやおうなしに我々に味わわせてしまう。ゲームそのものよりもパワーを持つ挿入イベントでした。

——ラオスの自然は、相当荒れつつあるのでしょうか。

養老　僕はもう30年近く行っているんですけども、今は急激に、中国が入ってきていますから、街にはチャイナタウンの敷地ができていますよ。それに新幹線も入ってきていますよ（※中国ラオス鉄道、昆明―ビエンチャン、2021年12月開業）。

そうじゃなくてもベトナム戦争のころから急激に変わりましたね。その頃のビエンチャンで、米軍が入ってからでしょうね、アメリカはそういう時、丁寧に情報を集めるものだから、昆虫の標本も採っています。ハワイの博物館に行くと、ベトナム戦争当時のベトナムとラオスの昆虫の標本があるんですけど。今、採れないんですよ。そのくらいでも変わっちゃうんで。

名越　帝国主義の伝統だから、その国のあらゆるものを調べ尽くすわけですね。

養老　日本のある会社の社長が、戦後は何で食っていたかというと、アメリカ大使館に日本の地図を売っていたというんですよ。言い値で買ってくれたって。水道やガスなどの位置が載っているその地図でインフラを全て押さえたわけです。それを知っていないと統治ができないということですね。

名越　中国の資本が入ってくると、資料を残さずに開拓していく可能性がありますね。

養老　もちろん、あります。

名越　ちょっと趣旨からずれるかもしれませんが、養老昆虫館にうかがった時、ものすごく気になる言葉をおっしゃった。ゾウムシの一種で小さい虫で、胴体は柿の種の半分ぐらいで6肢がすごく太くて、拡大して見ていると、お相撲さんみたいな腕がついている。口がストローみたいで。

「これ、何を食べているんですか」と聞いたら、先生が「近代人はやっぱりそこから考えるのか」と言われたんですよ。

びっくりしました。そうか、と思って。どうしてもエネルギー代謝を考えてしまうんですよね。その時養老先生の顔を見たら、なんか5000万年くらい前の常識みたいな顔されていて（笑）。人類を超えた存在でした。

その「近代人」発言が鮮烈で、1カ月、ずーっと考えていて、まさに、行き詰まった世界を何とか打開するには、まったく違う視点にならないと無理なんだと思って。

ところが、僕は虫の時もエネルギー代謝を考えて見ている。虫を見ても人間の体の延長としか見てない。そこを突き抜けて見るということが、虫を見るということなのかなと。自然から教えられるというか、自分の傲慢さをすごい思いましたね。それで養老先生はどういうふうに虫を見ていらっしゃるのか。とても関心があって。

養老　素直に見ているだけですよ。

名越　そうか、そうなんですよ。素直ということがすごいことですよ。で、続けて何を食べているのか聞いたら、「朝露なんかは飲んでいるでしょうね」って。答えになってないって。

　このやりとりがおかしくて、帰りずっと笑っていて、それが養老先生が言う「あるものはある」ということから始まっているというか。「あるものはある。それを認めることからでしょ」ということ。こういうことか、と思って。

　僕も、大分できている方だと思ったんですけど、せいぜい思考としてできているだけで、本当は一つの環境にある程度の月日、最低1万時間ぐらいその場にいないと、浸っていかないと。浸るという助走期間が必要で、そこから新しい活路が見いだせる。だから都会にいる僕たちには限界があって、例えば自然の環境に通わないと難しい。

「森のムラブリ　インドシナ最後の狩猟民」という映画を見たんですけど、ムラブリ族は600人ぐらいで、一部は今もジャングルに暮らしています。彼らがいちばん面白いのは、いっぺん、鉄を作るという文化を持っていたのですが、小さな矢尻を作るという鉄の原始的な利用法を残して、あとは捨ててしまった。なぜ大きな鉄を作る文化を捨てて、小さな矢尻だけを作る文化に戻ったのか。みんな注目してロングランになっています。

――矢尻文化しか残さなかったのは、戦いを避けるためだったのではないでしょうか。

名越 もしかしたらそうかもしれません。あるいは砂鉄ぐらいしか採れないから、矢尻どまりになったのかもしれません。シュメールみたいな帝国に向かわないで、原始に戻ったわけです。

養老 元に戻ることはたくさんありますね。今アメリカ農業もそうでしょう。不耕起栽培です。1割ぐらいが不耕起だといいます。農業なのに耕さないってバカじゃないと思うでしょ。

名越 でも、耕さない方がいいってことですよね。

養老 そうなんです。

名越 バクテリア層が全然違う。

養老 バクテリアだけでなく菌類ですね。その比率がちょうどよくなる。千葉でね、不耕起栽培をやっている人としゃべったことがあるんですよ。その人が言うには、さかさまに生えている草がありますか、というわけです。地面さかさまにするでしょ。耕すと。

名越 そうか。

養老 人類というのは、その集落に限らず、元へ戻っているんですよ。

名越　僕の友達も福山で不耕起栽培をやっていますよ。そこでできたキュウリとかトマトとか、信じられないぐらいおいしいんですよ。それをやるのに、何年か放っておかないといけないとか。

——昔、永田農法がはやって、トマトに水を与え過ぎてはダメだと。

養老　与えなければ自然に糖分をつくりだして甘くなる。

——メタバースに話を戻します。周囲の方とはどんな関わり方ですか。

養老　特別親しく話したわけではないですが、ポイントは新しい世界を創るみたいなことが本当にできるかどうかですね。まだ始まったばかりですから、これからですね。

名越　昔、荒川修作さん（美術家）が元気だったころは、自然はダメだ、自然を超えてもっと新しいものを創ると言っておられました。ああいう人が生きていたら何か言うかもしれない。

——新たなルール作りも必要になってくると思います。可能性は大きいとご覧になっていますか。

養老　スマホの普及を考えても分かるでしょ。ネットフリックスなんかで推理モノなんか見てても、あきれるのはスマホは必需品になっていることです。ちょっと数年前には想像つかなかった。

――パソコン、ネット、スマホと進化が速いですね。

養老 メタバースは厄介なので、そこまではいかないと思いますけどね。スマホはめちゃめちゃ便利ですからね。

名越 だから疑似自然みたいなものをつくって、まずそこで体験しておいて、現地に行って深めるみたいな、そういう橋渡し的な感じですかね。それはいいかもしれませんね。いきなり行ったら、虫を怖がるからね。

――それを教育現場で活用できるということになるのでしょうか。

養老 そういうことはやってみなければ分からないですけどね。

名越 ある程度、時間空間を超えたら、実際的かもしれませんよね。そこで疑似体験させておくと入りやすいかもしれません。学校の先生の世代も（昆虫とか）、そういうものに親しんでいないから、それはつくづく感じますね。

養老 よく子ども連れの虫捕りの会なんかやっているんですけど、今週もそれやって帰ってきたんだけど、親が一生懸命なんですよ。つまり、今の小学生の親の世代というのは、あまりそういうものに触れてない。自然体験が足りないんですね。足りないのは子どもよりも親なんですよ。

――虫捕りの会はどちらでおやりになったのですか。

養老　島根県の吉賀町といって旧柿木村なんですよ。毎年あっちに行ってるんだけど。日本中から親子が集まりました。おばあちゃんまで来ていましたよ。おばあちゃんぐらいになると僕の世代ですからね。虫は捕らなくてもいいんで、子どもを外に連れ出して遊ばせてやれば。虫は大義名分になっているんで。

――そこで子どもたちもいろんな気づきがあるでしょうしね。

養老　そうです。

――名越先生がおっしゃったようにメタバースで疑似体験から入っていけばスムーズにいきますよね。

名越　そうそう。道筋がつきますよね。

――メタバースで新しい価値観、世界ができていく中でカネ儲けを考えたらつまらなくなると思うのですが、まったく別のものを構築していかないとメタバースの世界は広がっていかないいんじゃないでしょうか。

養老　僕は博物館にしょっちゅう触れているんだけれども、それの代わりにならないかなと思っているんですよ。当然アートの世界も入ってくるでしょ。わざわざ、新たにそういうものを創って汚いものを見たくないですよね。

名越　カネの世界ってあえて心理学的に単純にいうと、「ああすれば、こうなる」の世界だと思うんですね。「カネで何とでもなるなんて」という倫理的な反発には僕は関心がなくて、カネとモノとの単純な図式が我々に及ぼす思考の硬直にならなら関心がある。つまりカネの世界は現実の世界や心理的世界、ましてや自然の世界の混沌としたネットワークをまったく反映しないことが大問題なんです。そういう意味でメタバースがカネの下僕にならず、もっと盛んな時間空間の行き来の遊びが生まれて、そこからいろんな豊かさや多様性や、新たなものが生み出される世界が連鎖していったら、必然的にカネの世界を超えてくれる。つまりああすればこうなる、の世界を超えて行ってくれると面白いと思うんですけどね。

養老　何でもないようですけども、日本は時代がガラッと変わっていく国なんでね、南海トラフ地震が発生するといわれている２０３８年以降は違う世界になるかもしれない。結構、そういう時に、以前はこうだったんだよということを残すために使えるんじゃないかと思っています。

――戦争体験の伝え手もいなくなっていく中で、歴史をつないでいくためにもメタバースの活用法はありそうですね。

養老　そうですね。結構、実感があると思いますよ。

名越　なるほど、それは活用できますね。

――協議会の方では、今後の予定というか段取りとしてどんな感じで考えていらっしゃるんでしょうか。

養老　今のところ、まだ具体的ではないですけども、結局、最初にこういう話が出てきたのは、（ネットには）何にも規制がないってことですよね。だから、それを考えなきゃならないことは動機なんですよね。今言われたように、上手に使えばいいかもしれませんけど、下手に使われると何が起こるか分からない。

名越　一律にこれはダメというのは問題ありですよね。言葉は誹謗中傷がひどいのに、許容されている部分がある。映像は残酷だからといってだめ。言葉の方がひどいでしょ。そこら辺の基準をどうしていくかですよね。すごい大事な問題です。実は創造的な課題だと思います。

――規制というと、どうしても過剰になります。基準作りをどうするのか、どこがやるのか。

名越　過去からのことをちゃんと検証しないで、感情的な経験論から例えばこの表現は問題だとか。それだけではありませんよね。今回の感染症に関するワクチンの影響のことや、マスクの是非などにしても、さまざまな見解を表現することにかなり規制が入っていますね。

ＳＮＳの普及がこの20年ですから、言説が氾濫するのをなんとか規制しなければ大衆が混乱する、社会的不穏が起きる、ということで躍起になるのは分かるんですが、その基準が一方的過ぎるのは問題ですね。もちろん規制する側の責任が問われないという現状もフェアではない気がします。

――養老先生が参画されて代表理事になられて、正直ビックリしました。先生のような方がいらっしゃることで、多面的、複合的な見方ができて、そこは価値があると思います。実業の方ばかりでは、どうしてもイケイケどんどんになってしまう。

養老　結局、おカネが儲かりだしたら問題なんですよ。持ち出しでやっている間は、そんなひどいことにはならないはずです。

脳科学の限界

――メタバースに続いて脳科学の話をお伺いしたいと思います。高齢化社会の中で認知症の問題があります。いろいろ調べるとピアノなどの楽器の練習は脳トレになるという話もあります。

名越　脳トレになるからやるということではなくて、それをやる喜びや衝動があるのが先ですから。そうしたら練習自体に効果があるのか、衝動や喜びにより効果があるのかということがありますが、僕は両方じゃないかと思いますね。

実際、僕は曲を練ったり歌詞を考えている合間に、心理学的なアイデアとかそういう今までの仕事の発想もこの年でより出るようになった実感がありますね。歌にしたって楽器にしたって、ピッチとかリズムとか他のメンバーとの呼吸とか、演っている最中、絶えず自分の内と外の状況を包括して観察し続けないといけませんから、いわばアクティブな瞑想状態（自己を覚めて観察する）にあるわけで、とても脳にいいことは当然である気がします。

人間は他人からも多くの刺激を受けますが、自分の中の情緒的な変化、感覚的な変化をずっと追いかけていくというのも、けっこうダイナミックです。そして自然に大きな流れが見えてくる時もある。つまり、論理や未来が想像されていくという面すらあると思います。

——自分を見つめる、観察する。そういう時間が大事だということでしょうか。

名越 瞑想《めいそう》しろというと、向かない人もいますからね。それぞれにあった方法があるんじゃないですかね。仏像を見た方が向くという人もいるし、僕なんかネコを構って同調が起きる時の方が気持ちが落ち着くこともあります。

基本的には言葉の世界、対人関係の世界じゃなくて、自分がうまく対象と一体になって沈黙できて、気分が良くなるものを見つけたものが勝ち、みたいな感じではないでしょうか。どうやったら知性が宿るとか、人間性が深まるとか、まったく謎です。これは丹念に聞けば聞くほど人それぞれですよね。

養老 そういう、今のようなね、脳科学で、結局、一般性が導き出せるかってテーマですけどね。まあ、全部じゃありませんけど、どうも一般性が導き出せないという結論になっているみたいです。人によって違う。いま測り方が精密になっていますから、精密にきちんと調べていけばいくほど、一般性がないことが分かってきました。やっぱり脳みそは複雑ですから、人それぞれ違うというのはみんな知っているわけです。

そこへ科学的に一生懸命やっても、そこ（人それぞれ違うという結論）へ戻っちゃったということとは、リサ・フェルドマン・バレットという人が「情動はこうしてつくられる脳の隠れた働きと構成主義的情動理論」（紀伊國屋書店）で書いています。

自分の実験だけじゃなくて、既に出ている論文も含めてメタ解析をした結果、一般論が立てられないというのです。心理の教科書はほとんど嘘をついています。それまで教科書に載っていたことは客観的に証明できない。どこの筋肉がどれぐらい収縮しているか、それは、最も一致率が高くて40％ぐらい。結局、怒っているとか、そういう状態は生理的に決まっているものではないという結論ですね。

むしろ、周りがそう解釈しているというわけです。社会的な概念なんですね。喜怒哀楽は。動物なんかでもそうだから、怒っている時は怒っているから。乱暴なレベルでしょうけども、今の話はもっと細かいですから、ピアノの練習が認知症になりにくいというのはね。

――一般化できないというのは興味深いですね。そうすると認知症をいかにして防ぐかというテーマを導き出すのは困難ということでしょうか。

養老　固定しちゃうと難しいと思いますね。だから、もっと幅広く老化を防ぐとかね、そういう話になるでしょ、そういうものは。でも、案外、片付く可能性があるかもしれません。

この間、宮崎徹さん（元東京大学大学院教授）との対談で、「ネコは30まで生きる」という話をしたんです。その時、タンパク質の話になってね。体の中でいらなくなったものを血液中の細胞が食べてくれる。その標識物質であるタンパク質のＡＩＭ（apoptosis inhibitor of macrophage）が、ネコにはあるんだけど働いてないんですね。他のものにくっついちゃっている。

ネコ科の動物は腎臓病で死ぬんです。腎臓はしょっちゅうゴミがたまるでしょ。それを片付けるマーカーがない。そういうふうなものが分かっていくと、脳みその場合も、アルツハイマーの場合も、ゴミがたまるんですよ。たまってるから片付けなきゃいけない。その作用がうまく働いていない。

一般に老化を防ぐって話は今、ずいぶん出てきていますね。認知症の場合、脳に絞り込んでいるから、そこだけ抑えればいいかというとそうはいかない。

――名古屋大の先生の腸内細菌叢の研究で、ニコチンを摂取するとパーキンソン病が発症しにくいという発表がありました。発症メカニズムに腸内細菌叢が関連していると。

養老　従来の科学がですね、1対1の因果関係を追いかけ過ぎて、それで追いかけられないものを全部落っことしていった、残していったのです。残してきたものが、いわゆる問題となっているわけです。それ、だいたい生き物の特徴ですね。網の目のように。仏教的世界になっちゃう。一神教じゃ片付かないですね。

名越　本来網の目の世界でさまざまなものが兼ね合って現実は生まれ続けているけれど、それを直前の世界の因果関係だと誤解してしまうと、こぼれ落ちているものが無限に出てきますよね。そこをどうとらえ、対処していくかが課題でしょうね。

――そこに気づいて、地道に研究をされている動きがあるのでしょうか。日本の場合、基礎科学に予算がつきにくいです。

養老　科学には予算がなかなかつかないですからね。きちんとした因果関係というか、分かりやすい、ああすればこうなるという型でないと、評価されないんで。評価されないとおカネがつかない。結論がなかなか出しにくい、あれもあります、これもありますじゃ聞いてもらえない。そういう科学に適した分野と、適さない分野があって、脳なんか、若いころ僕は、きれいに理屈でいけるもんかと思ったけど、技術が進んでくるほど、割り切れない部分がある。

ということで、今では腸内細菌叢まで考えなきゃいけなくなっているわけです（笑）。専門家は絶対に脳と言いますよ。それ、臨床でも前から言われていることですけどね。内科なんか全部臓器別に分かれているでしょ。そうすると、その専門家というのができちゃってね、そういう人たちは、よそから言われることを嫌がる。ネコのＡＩＭの話もそうですよ。

名越　当分、難しいと思いますね。根本的な構造が違うわけだから。いまだに論文書いても1対1対応で、因果関係がはっきりしない限りおカネがつかないのだから、よほどドラスティックなこと、例えば論理的であると認定される様式自体が変わらなければ無理でしょうね。例えば今は三段論法だけれど、お経などは五段論法で書かれたものがあると聞きます。僕も一時いろいろ調べてみたけど、結局分からなかった。どちらにしても今も、ああすればこうなる、に頼るしかない。

南海トラフ地震後の復興とカネ

――南海トラフ地震の話が出ました。2038年説もあります。どんな心構えが必要でしょうか。

養老　実際、2038年に何が起こるか分かりませんけどもね、南海トラフ地震はかなり確実に来るでしょう。その後、どうなるかですよ。地震の規模にもよるんでしょうけども、一番問題なのは復興のカネをだれが出すか、どこから調達するかです。

名越　世界中にカネがあると言ったら、アメリカと中国しかありません。

養老　背に腹は代えられないから、目先のカネにつられる可能性は十分ありますよ。その時に将来のビジョンができていないと、大変なことになりますよ。カネで返せるか。新幹線に投資するような形になりかねない。元の木阿弥になってしまいますよ。

名越　日本は日露戦争の借金を戦後まで払っていたという話を聞いたことがありますけど

ね。イギリスにね。そこをもう少し共有したいですよね。日露戦争の時に国家予算の数年分とかという戦費をイギリスなどの巨大資本から借りているんですよ。ずっと返し続けてきたのは事実なんで、それを大河ドラマなんかにしてやってほしい気がするんです。そうした事実を国民に知ってもらえば、南海トラフの復興が考えやすくなりますよ。

――南海トラフ地震を境におカネの価値が変わる可能性はありませんか。

名越　ある時、ゲームの解説本を出すからクラウドファンディングしようとなって、返礼の商品として僕の1時間半のリモートインタビューを計9人の方にすることになったんです。どれぐらいでチケット売るのかなと思ったら10万円だったんです。いろんな意味で恥ずかしいから止めてくれ、と言ったんですけど、1カ月で全部売れたんです。

何かの付加価値なんですね。ビックリして、今年になっていよいよ買ってくれた方々にリモートでお会いしたら、どの方も極めて冷静で。なぜ、10万円出されたのか聞いたら、「課金のゲームをするより、ずっと割安ですよ」とおっしゃる。

僕自身はまったく分からないです。

昔からあったでしょ、シナトラのショーS席10万円とかね。僕にはお金のバーチャルの部分の本質はまったく分からないのだけれど、賢い人がおカネに対する感性そのものをずらしたら世界は変わるのかなあと思ったりします。

僕たちはお金に対していわば父性的にアプローチし過ぎている。つまり憧れと恐れですね。欠乏することに対する過度の恐れがあるくせに、起業は全て借金で賄われる。僕みたいな心理屋からすると、世界が強迫症だから、正常を外に求めないで自分に求めることが日々必要、ということになる。

養老 おカネの話はねえ、「なめらかな社会とその敵」の著者の鈴木健さん（スマートニュース創始者）がね、だいぶ前に新しい通貨を考えたんですよ。

名越 難しそうな本だから僕、避けてたんですけど。

養老 難しい。

名越 何か、通貨についてはまだ可能性があるかもしれないですね。

——その新しい通貨というのはどこで通用するものとか、仕組みは？

養老 いや、我々はもう今の通貨に慣れ切っちゃっていますよね。だから、新しい通貨を考えることができないんですよね。それこそ、子どもならすぐ分かる。

名越 だからこそ、もどかしいんですよ。通用させるためにどうするか。難しいですねえ。

——2038年まであと16年しかないですね。

名越　知り合いにインドネシアの武術をやっている女性がいるんですが、最近やせてきたのでたずねたら、ほとんど食べる必要を感じなくなったというわけです。この人ゾウムシ化してると思って。

人間もある意識状態になると、そんな感覚にもなれるんだと。欠乏やため込みという観念から解放されると、食欲の中に実は潜む「恐れ」からも自由になれるのかと。そういうあたりが関係あるのかなあと思いますね。そういうラチ外からの呼び声をずっと待ってます。

――究極は何のために生きるのか、何のために働くのか。

名越　結局、未来というのもあるんですけども、仏教は日本では葬式仏教とか揶揄されますが、それって偉大なことなんです。ご先祖さま、過去とつながるということが、過去の呼び声というものがなんかヒントになると思うんですけどねえ。そこととつながることで新しいものができてくるんじゃないかと。

養老　皆さん２０３８年、大丈夫ですか。

名越　社会が今進んでしまっている方向の惰性の強力さをみると、もう、どうにでもしてくれという感じですね（笑）。

自分の田舎をつくる

――南海トラフに備えて、個人レベルで何をやっておくべきでしょうか。

名越　すごいシンプルに言うと、「自分の田舎」をつくっておくということが大事ではないでしょうか。僕は月に2回、レコーディングのために清川村（神奈川県）に行くんですけども、そこは6000年に1回大きく揺れるらしいんです。つまり比較的安定している。そこに親しい友人がいるので拠点をつくりたいなと。もう一つは福岡です。津波の来ないところに何カ所か親しい人をつくっておくことは大事ですよ。いざとなったら帰れる「第二の田舎」をつくっておくことです。生まれ故郷の奈良にはもう実家はないから、田舎と言えなくなりました。田舎に投資しろ。どうですかね。

――養老渓谷のある市原市（千葉県）の山間地で、ヨガ講師が地域おこし活動を始めたら賛同した地元の若者が協力するようになりました。それにつられた周辺地域からの参加者も増えています。こうした動きが日本のいろんな地域で生まれてくれれば、拠点にもなります。

名越　逃げ場を確保するというだけの話ではなく、人間関係を築いておくということです。付き合いがおっくうでも、例えば一緒に森を歩いたり、飯を食ったり、子どもの話やふるさとの話をしたりしてゆくうちに培われてしまうものが、気心の知れた関係です。人間関係とその背後にある自然との関係性が絶対に大事で、田舎の人の多くは今でもその土地の風土という背景を持っている。気軽に、でも年数をかけて通うことが全てです。これがうまく行けばそれなりに経済も回ります。

――健康観も変わってきています。体の健康よりも心の健康を大事にしたいという人が増えてきています。

名越　第二のコロナが出てきても人口密度が低い地方はほとんど関係ないですよ。ほとんどマスクさえ必要なかったのではと思いますね。それは今後、さまざまな知見として出てくると思うので、もう力強く人と人、人と自然をつないでいかないといけない。そういう意味でも地方に「あなたの田舎をつくろう」キャンペーンやりましょうよ。何百万人が救われますよ。

例えば、企業が保養所に援助して、ここに帰ってきてください。年1回以上帰ってきた人にはこんな特典がありますよ、という感じで。それで田舎参勤交代をということです。お遍路宿みたいな発想でもいいですね。人の移動を応援して、ここにいざとなったら住みますという形ですね。

――ここ一年ぐらい、大企業が地方から撤収する動きが続いています。この流れを反対にもっていかないと変わらないですよね。

名越　大手ホテル会社が大阪のあいりん地区に高級ホテルを建てて、周りのもつ鍋や串カツ店と緩やかに連携して、ここへ食べに行ってくださいということで地域文化と交流していたりするらしいですね。こういうことを各地域で広げるのも一つの方法。

――養老渓谷の地域おこしでは若者らが主体で行政はサポート役です。今後の各地域での活動においても、行政や企業がサポート役に徹すれば、いい形が生まれてくるんじゃないかと思います。

名越　申請制にすればいい。

――養老先生は地域での活動を盛んになさっています。そこに参加されている子の親たちの意識は、都会の普通の親たちと違うのでしょうか。

養老　僕、そういう観察はあまりしないから。人よりも虫見ていますから（笑）。ただ、そういうことをやると人が来ることは確かです。なおかつ30人ぐらい子どもがいたんですけど、「来年もやるから来るかい」と聞いたら全員が「来る」って。そのくらい（都会では）虐げられているんですよ。その程度のことで、また来たいというんですからね。

名越　虐げられるという意味も分からなくなっています。身体的な虐待ではなくて、自然から隔離されているということです。自然からの隔離が生命を虐げている、そこをつないでいきたいですね。「アスファルトを歩いている子どもがかわいそうで仕方ない」と養老先生がおっしゃって、なるほどと思いました。その視点か、と思いました。

――養老先生と田舎で遊んだ子どもたちが、やがて地域を活性化していく中核的な存在となっていく。素晴らしいつながりですね。

名越　全ては経験ですよね。経験させることが大事です。日本は森林をたくさん残しておいてもらって良かった、ご先祖様に感謝しかない。でも、それを活用しないと。

僕、以前はそんな考え方なかったんですけど、50歳を過ぎて森が恋しくなって。テレビの仕事で若杉山（福岡県）の森林ヨガのインストラクターのもとでヨガをやったらすごく気持ちが良くて。それからお遍路宿がリーズナブルで（1泊7000円）、心根があったかくて素晴らしいので、行くたびに泊まっているうちに、町長さんが寺を案内してくれ、今度は和尚さまと親しくなり、それで数カ月にいっぺん行くようになったのです。

で、気づいてから月に1回は森に入らないと気が済まなくなってしまったんです。大阪に帰ったら、吉野、熊野、六甲とかに必ず行くんです。行かないと息が浅くなって来るのが分かる。それはやっぱり、人間の欲求だと思うんですよ。そこを開いてあげたら、みな行きたくなると思うんです。閉ざしちゃったんですね、何かの都合で。

養老　パソコンの画面立ち上げたら分かるでしょう。森が映っていますよね。ニューヨークとかパリやロンドンは映ってない。

名越　潜在的な欲求はあるということかもしれない。

養老　非常に高いですね。

名越　ある新聞社に、企業の人が高野山で授業を受けるという企画があります。高野山大学の客員教授をやっているので僕も講演します。その時「年に2回は来て自然の世界に浸ってください。そしたらきっと発想も浮かびますよ」と言っています。当時ある意味権勢を極めていた空海が、わざわざこんな離れた修験の場を嵯峨天皇からもらって、入定までの5年間は山から下りることがなかったわけですから。自分にとっても弟子たちの修養にもいかに自然が必要かということを分かっていた。だから、嵯峨天皇が芯から心細く思われて、京に戻って欲しいというのに戻らなかった。自然の力を見直すべきです。

ネコに学ぶ「気持ちのいい場所」探し

――自分のペースで生きる自然での暮らしとは逆で、都会では健康に生きる、健全に生きるといった画一的な価値観の押し付けがあり、息苦しい世の中になってきています。

養老　そんな価値観は相手にしなければいい。要は、気持ちよく生きるということに尽きますね。ネコ見ていると分かりますよ、あいつら健全に生きようなんて思ってない。毎日、一番気持ちのいいところで過ごしている。

名越　本当に、ネコは気持ちのいいところを選ぶ才能ありますよね。

養老　現代人にとっていちばん大きな健康問題は、自分がどういう状態だったら気持ちがいいか分からないことですよ。

——健康診断の結果に右往左往し過ぎです。

名越　人に勧める気は一切ないのですが、僕は健康診断は積極的には受けていません。そこからある程度離脱しないことには自分の中で自分を保てないんです。一方で健診結果を気にして、一方では気持ちのいい場所を見つける。人は奇異に感じるでしょうが、自分的にはそんな器用なことはできない。ある程度どっちか無視しないと。

先日医学部受験生向けのムック本を作りました。編集者が最後に言いたいことありますか？　というので、「大人の言うこと聞くな」と。つまらん反抗をしろということでは決してない。自分の感覚を掘って鍛えてほしいという気持ちからなんです。

——気持ちのいい場所というのは、ありそうでなかなか見つけられないかもしれません。

名越　僕は自分がいちばん気持ちのいい場所を見つけるのに修業の期間が要りました。開業してからは思春期の子が相手ですから、既存の医療モデルでは回答にならない。まずは自分が気持ちのいいところを見つけなくては。ところがそれが分からない。診療所の行き帰り、20分ほど歩くようになって、途中にある難波宮跡に座るとホッとできることが分かった。

最近、ようやく初めての場所でも自分にとって気持ちのいい場所がすぐに分かるようになってきました。5年かかりましたね。

養老　うちのネコ、太ってデカいくせに園芸を入れる箱にいつも入っていましたよ。手と足と尻尾がはみ出していてね（笑）。

名越　僕は居場所のないネコとして5年間さ迷っていたんですよ。

養老先生のお宅に「まる」がいたでしょ。お宅に伺うと、向こうから5つ目ぐらいの石段にいて「おまえ誰や」という顔しているんですよ。

「すいません、またがせていただけますか」と言ってそおっとまたいで、僕が玄関に行ったら、一緒に入って来て。帰りも同じ石段のところで見送ってくれました。

「おまえ、なかなか礼儀のあるヤツやなあ」と。その踏み石がいちばん好きだったんですかね。

――心地よい場所を見つけることは、他人の目を気にする日本人には難しそうです。

名越　僕は目黒川沿いの景色のいいベンチで、平気で弁当食べていますよ。ちょっと異様だから誰も声かけないと思うんですけども。そういうのは平気ですね。

養老　歴史上にはいろんな人物がいますよ。（「方丈記」の著者）鴨長明はすごい狭い掘っ立て小屋に暮らしていました。それは動きやすいからです。

名越　（徒然草の著者）吉田兼好も家の中に竹が生えてきたというエピソードがある。竹が伸び続けて天井を壊したら、月が出てたって（笑）。しがらみを脱して、いい心意気ですよ。

――最近は健康経営とかいって、従業員の健康まで管理しています。

名越　それぞれのやり方があるんでしょうけれど、これが健康だって、社長の意向だったりする。

――価値観を決めつける。居心地が悪い世の中です。

名越　それは止められない動きですから、田舎に行くしかないですよ。コロナでビジネスホテルも人がいなくなって、東京近郊のビジネスホテルの大浴場はガラガラです。このホテルが気に入りましてね。ホールに2時間ぐらいいても、何も言われない。

田舎って、外部者として行ったら、インフラなんか不十分に見える。でも、こちらのことを放っておいてくれるからいいですよ。そのホテルの人たちはみんな親切で、それはまあ空気なんでしょうね。

――心地のいいものを分かるためには自然と触れることが大事でしょうか。

養老　体がそうでしょ。自然ですからね。頭で考えるのと違うんですよ。コストに見合うとか見合わないとか、関係ない。そういう計算しませんから。

名越　コストを考えるとろくなことがないですよね。

コラム――富士山麓昆虫調査

――養老先生、夏場は箱根でお過ごしになるんですか。

養老　ですね。虫も捕りますよ。大目標があってね。あの辺はフィリピン海プレートだから、他の所と違うはずなんで、違う場所いくつか分かったんですけど、それ特定のグループで。

陸になった時代が違うんですよ。そうするとどういうズレが起きるか。富士山の周りを回り始めて、丁寧に虫を捕って歩こうとしたらコロナになっちゃって。運転手が来れないんですよ。歩いちゃ回れませんからね。

名越　それは古い地層なわけですか。

養老　一種の基準みたいにして、ぐるっと回ったんですよ、北と南と。その時分かったのは、酒匂川の沖積地は、探している虫が一匹もいないということ。ごく普通の虫を調べているんですよ。珍しい虫は調べようがないですからね。そんな普通のものでも川の流域にはいないんですよ。酒匂川ってかなり新しい川ですから。

なぜ、いないのか。そういうことを探しているんです。後で分かったんです、そこが酒匂川の沖積地だって。地質図を見て。こんなところで探していたんだって。人が運んでもいいはずなのに。

時々あるんですよ。富士山だと、あの忍野八海ってあるでしょ。浅間神社がある。境内に木が生えていて、そこから捕ると周りと別のものが捕れるんですね。神社だから人が運んだんだろうと思います。

忍野八海が陸になったのは800年前ですから、富士山の噴火で山中湖が縮んだんです。それまでは湖の底だったんです。ということは、虫が定着するには1000年なんてもんじゃない、10万年、100万年かかるわけです。

この虫は、まだ中央構造線越えてないかもしれません。糸魚川——静岡構造線越えない。なぜですか、って必ず聞かれる。

あっちはいかないと、先祖代々決めてるんじゃないかって（笑）。

第4章

暑かった夏が終わり、季節は秋に移っていた。3回目は古刹の奥にひっそりと佇む鎌倉の養老邸での対談。

世間は旧統一教会問題で騒然。宗教法人と政党の癒着、大きな組織の悪弊が次々と露呈していた時期。

そんな状況下で、「組織社会の中で個人としてどう生きていったらいいいか」をテーマに語っていただいた。

塀の上を歩く

——急速に高齢化が進む中、70歳定年制といった動きがある一方で大企業では早期退職=リストラが相次いでいます。組織を自ら飛び出したお二人に、組織とのかかわり方についてお伺いしたいと思います。名越先生、当時を振り返られていかがでしょうか。

名越　僕は38歳直前で病院を辞めました。そのころ思春期のクライエントを相手にした診療をやりたいと思っていました。それにはすごい体力が必要です。40歳を過ぎてからの開業は骨が折れると直感したので30代で辞めて、45歳まで思春期の患者さんの診療をやって、45歳から書き物をやったりラジオやテレビに出させていただくようになりました。

だから40代はほとんどフリーで働いていましたね。毎日毎日、「もう仕事なくなるか」と思っていましたよ。月給をもらえるのだったら、わざわざそんな獣道に入らなくてもいいんじゃないですか（笑）。

――そうした時期の印象に残るエピソードはありますか。

名越　40代半ばのころ、福岡であった夏の野外ライブでの講演に養老先生と一緒に出させていただきました。講演後、宿泊先までの車中、養老先生を独り占めできました。その時の会話で「男はひどい目に遭わないとライフスタイルは変えられない」という話になりました。

人って、人生の道中で何度か体が弱くなっていくじゃないですか。そのたびにひどい目に遭うけれど、あらかじめ準備している人なんかいなくて、その時に死ぬ思いをする。そうやって人は「この年だったら、この生活はできないということを何度か経験して、いろんなことが分かって生きていくものだ」とおっしゃったんですね。

――すぐに納得されましたか。

名越　当時は、そういうものなのか、と思って聴いていましたが、その後のわが身を振り返るとつくづくそうでしたね。50代になると病気をしたり、体にいろんなことが起こります。雨の2日前ぐらいになったら頭痛がしてきたり、体が使い物にならないように重くなることがある。40代ではなかったんですよ。

その意味で言うと、そうした体の変化を自覚しながら新たなことに挑戦していくというのは、50代後半からはちょっとした冒険なんですね。体とどう付き合っていくかというのが、日常のルーティンになります。

そんな話をすると30代、40代の読者の方は暗く考えるかもしれませんが、差し迫った問題に暗いとか明るいとかは別にないんですよ。体の要請に応えざるを得ない。そういった外側と内側の調整を一刻一刻していくことが日常となるんです。忙しいというのは、心を亡くすと書くけど、若い頃にこんな内外の調整など、とてもできなかったと思いますね。それだけ技量が上がったということなのでしょう。

――病院勤め時代には、葛藤などはありませんでしたか。

名越　僕は本質的には組織に適合する人間ではないのですが、葛藤は特になかったですね。初めから「あいつは変わっている」と思われていましたから。赤いふちの眼鏡をかけてふつうに診療していたり、今から考えると「私はちょっと変わっていますので、ご了承ください」というサインを無意識に自分から出していたのかもしれません。

だからかえって組織の中で軋轢がある、生きづらいという人は、組織にある程度適応できているのだと思うんです。ある程度適応できているからこそ、痛みが常態化しないのではないでしょうか。とても怖いことを言うようですが、ゆっくり茹でガエルみたいになってしまうことがありうる。

――養老先生も東大時代「ちょっと変わっている」とよく言われたそうですが、東大時代には組織とどう関わってこられたのでしょうか。

養老　本音をどう理解するということですかね。自分の本音がどうで、相手の本音がどうなのか。本音でないところは適当に収められたのですが、本音がぶつかるとえらいことになりました。ですから、本音が見えないとイライラしましたね。自分の本音が分かっていないとやることを間違えてしまう。

――相手の本音を見抜くのは容易ではないですね。

養老　もう突き止めるしかない。

――あるところで、養老先生が「塀の上を歩いてきた」とおっしゃっていました。

養老　今とちょっと事情が違うんですけど、当時は大学に勤めていると国家公務員だったんですね。ある時オーストラリアに行ったのですが、そこからニュージーランドに行けないんですよ。ニュージーランドに行きたかったら、まず大使館に届けを出さなきゃいけなかった。許可をもらわなきゃいけなかった、何日から何日までと。その後、日本に帰ってきて、2、3日たって大学に顔を出したら、えらい怒られましてね。帰ってきたその日にパスポートを返せって。

名越　そんな時代なんですか。

養老　そうです。公務員の規定ですね。国にしてみれば当たり前なんでしょうけどもね。そのあとで東大で贈収賄みたいな事件が起きて倫理委員会というのができましてね、その委員長にさせられたんですよ。仕方がないからいろんなルールを読んだら呆れましたね。要するに私企業からおカネをもらっちゃいけない。

ところがね、（教員の）家が農家だったらどうする？　そういったことを細かく決めてあるわけです。商業的に売っている場合はダメなんです。自分の家で賄う分には構わない。要するに兼業はどこまでいいかとか。

――講演活動とかの場合はどうなんでしょうか。

養老　教育方面とか、人事院とかで特例を作って対応していましたね。だって（厳格な既定のままだったら）、法学部の先生が教科書を書いてね、出版社から出したら、そりゃまずいでしょう。印税も何ももらえない。でも、そういうところは寛容で、解釈で通していましたね。そんなルールをいちいち守ったら、何にもやってられないから。

――解剖学の現場でも理不尽なことはあったのでしょうか。

養老　僕の前の助教授だった先生がね、（大学当局と）大喧嘩した。亡くなられた方の献体に関してですね。お葬式行った際に香典をお渡しするんですけども、その香典の領収書で喧嘩になったんですよ。つまり、お葬式で「お取り込みのところ恐れ入りますが」と言って領収書を書いてもらうんです。まさにお取り込みなんですよ。そうするとかなりの家が「いりません」というわけです。献体だから。でも、現金を持って帰ると怒られる。まずいんだよ、これが。

この問題については、病理学の森亘さんが総長だった時に、僕、東大の広報の原稿にその話を書いたところ、最後は解剖の主任教授と会計課のトップのハンコがあれば香典はいい、出しても出さなくてもいい、相手が受け取らなくても構わない、適当に決めろということになったんです。

――他にもいろいろとあったのでしょうね。

養老　いちばん困ったのは遺体の引き取りですからね。ある葬儀関連会社の自動車を使うんですけども、そこの運転手さんにチップを払うかどうかっていう問題があった。本来そういうのは亡くなった方の状況でさまざまでしょ。だから、何もしなくていい場合もあるし、何とかしてあげたいなと思う場合もある。

ある時、運転手さんと2人で、病院の4階の病室から非常階段で棺を降ろしたことがありますけど、その時にね、いくらか運転手さんにチップをあげました。そういうことが一切できない職場だったんです。現場のコントロールを官庁でやるっていうのは絶対にダメですよ。

――そういった理不尽な現実を前にどうされたのですか。

養老 それはね、大まじめに喧嘩したってしょうがないから、上手に渡んなきゃいけないですね。

――それが「塀の上を歩く」ということでしょうか。

養老 そうですね。うっかり（塀の中に入って）、人の利害関係や政治的な問題に引っかかると、それこそ今のSNSの炎上みたいなことになってしまう。そこら辺はもう慣れたもんですよ。だから人の損得に引っかかることからは上手に逃げなきゃいけない。

――吉田茂が田中角栄のことを「あいつはいつも（刑務所の）塀の上を歩いている」と言ったという話があります。先生の場合は、東大という組織の塀の上を歩かれてきたということですね。

養老 同じなんじゃないですか。

名越　なんでも、そういうことありますよね。古くはある若手の新興経営者が収監された事件だって。

養老　彼自身が言ってたけど、日経の「私の履歴書」を刑務所の中で読んでいたら、「経済人の半分ぐらいは刑務所に入っているよ」って。

名越　境界線で売り買いはされているわけで、極端な言い方かも知れませんが、価値のあるものは境界線で交換するからお金を生むわけですからね。

養老　言ってみりゃ、働く人は同じ目に遭うんですよね。何もしなければ遭わない。

――今回の東京五輪汚職をみても、組織の利益のために立ちまわった人が事件に引っかかっています。

養老　だから、みんな働かなくなっちゃうわけですよ。ルールをきつくし過ぎると。

社会を殺しているようなものだね。実際、元気がなくなっちゃった。それは大いにあると思う。僕が普通に対談している相手がみんな（炎上して）公表できなくなっちゃったんだから（笑）。

名越　活躍している人ともいえるわけだ。よかった僕はあまり活躍していなくて。

功成り名遂げて、ユーチューブをやっている人でバリに住んでいる人がいるんですけど、その人を見ていて思うのは、大きな企業なんかつくったら、あらぬ力で絶対に潰されると。その方がこう言っていました。

「この人は才能あるなと思ったら、みんなを社長にしてあげればいい。日本みたいな国はそれがいい」というのです。この人分かっているなあと思いましたね。出過ぎない杭《くい》をいっぱいつくってあげるわけです。優しい助言をしているなと思いますね。

――ルールの厳格化で社会が弱っているというお話が出ましたが、いま、大きな組織を見ると定年延長の動きがある一方で、早期退職が続出しています。そうした動きで組織自体がどんどん弱体化しているように見えます。

養老　それはだいたいもう、多くが斜陽産業だからしょうがないんじゃないですか。炭鉱労働者がいくら頑張っても石油が入ってきたらどうにもならない。

名越　弾かれた方がかえって良かったという場合もあるだろうし、ずーっと組織にしがみついていたところで、組織自体が沈んでいくこともありますからね。

内発的な考え方を

——最近は、大企業で早期退職を募集すると、能力のある人から出て行ってしまう傾向がみられます。組織自体のあり方が時代に合わなくなってきているのでしょうか。

養老　そもそも、そんな大きな組織をつくるってこと自体に問題がある。図体が大きいと動きが大変ですからね。軍隊なんて典型ですよね。（敗戦で）大量の失業者を出しちゃっているわけですから。個人的にも外地引き揚げの人は全財産置いてきちゃいましたからね。ゼロから出直すことになったわけです。

その点、外国人が強いなと思うのは、マレーシアではお茶の農園は今でもイギリス人が経営していますよ。ケニアの農園もそう。イギリス人は植民地での経営が上手で、個人のレベルでのことはちゃんとしている。その人でないとできないようにちゃんとつくっているんですね。大きな農園が潰れたらみんなが損しますから追い出されない。ああいうところが日本人にはないね。みんな帰ってきちゃった。

名越　日本にはある程度の規模以上のスーパースターや組織をプロデュース、コーディネートできる人がいない。もっと多角的、価値のあるものつくろうよといっても、それはできない。本来その能力は十分潜在しているにもかかわらずバリバリ躊躇ないのは外国人なんですよ。

——発想や才覚が違うということですか。

養老　やっぱり、根本は明治以来の無理じゃないですか。自分で何もかも考えて、これしかしょうがないとやってきたら強いんですけど、途中で横からいろんなものが入ってくる。漱石がしみじみ書いていますよ。内発的と外発的と。内発的にやって来ていればどうにも応用が利くし、発展もするんですけどもね。外発的だと、外から入ってきたものに惑わされるから、それを時々やっているんで、どうにもなんないですね。

——それをいまだに引きずっているわけなんですね。

養老　全然直ってない。

最初にルールを作った時に、これしかしょうがないだろうという形でやってきてないんですよね。何もかもこれでいくとなっていれば、そう簡単には変えられないはずです。変えようとしたら大変な議論が起こる。そこでみんなが問題の根本を見直す形になるんですけど、そこをずっとさぼってきたんですね。上手にうまいとこだけ取って。

今までは何とかごまかせてきましたけどね。

――それは組織内の人にとっても同じですよね。

養老 そう、同じことです。南海トラフ地震の話をしたけど全部すっ飛ぶ可能性ありますからね。ご破算で願いますとなった時に、あなたどうしますかってことですよ。

――この国のガラガラポンが起きた時、明治維新、敗戦に続く3回目のリスタートとなるということですね。

名越 内発的っていう感覚、僕もいちばん大事だと思います。ある中国武術の達人と本を出しまして、講座もしたのですが、あの方たちの動きも内発的なんですよね。自分の体がこう動くということ自体が自分の内発に沿って動く。5年後、10年後、自分はどう生きていくということもそんなに変わらないというか、日々、実感があるかどうか。

野口整体の創始者、野口晴哉は体が本来の内発性を発揮できていることを「充実」と呼んでいます。あくまでも僕個人の理解にすぎませんがこの「充実」という言葉は奥が深い。充実があるかっていうところを経験せずに動いている人は人生がすごくしんどくなる。うつ病みたいになる人もいるでしょうし、子どものころからそういうことを経験させるようにすることが必要です。子どもって親がどこから言葉を発しているかをよく見ています。内側からというか、いわゆる心身が一致して欲得のない言葉には、響きあうものがあります。

明治維新がこの国の上澄みの始まり、産声だったとしたら、今こそ個人個人の産声の感覚、つまり内的な欲求を聴くところに戻ることが大事で、そこから生じる充実を大事にしないといけないということでしょうね。それをすっ飛ばしてしまうと、人生はただのゲームになってしまう。

――内発的な考え方が組織の中で封じ込められて組織順応してしまった。それが今の状況をもたらしているんですね。

名越　でも、僕は社会全体を変える必要はなく、自分が変わることが大事だと思いますね。

養老　社会はひとりでに変わりますよ。無理やり変えようとしてもだいたいうまくいかない。ガタが次々と出てきます。明治維新が典型でしょ。最初のガタが西南戦争です。

――個人、個人が変わっていく。その結果、総体として動けば社会が変わるということですね。

養老　そうです。それしかない。何だか知らないけど、上から号令すりゃそれで動くというのではだめなんです。戦争中なんかひどかった。

――そういった歴史の証言を教育の現場などを通じて伝えていくことが重要ですね。

名越　そこが大変なんですよね。自分で目覚めて教科書以外のものを読み始めるしかないんじゃないですか。

――まさに内発的な動きが必要だということですね。

養老　組織に勤めているストレスみたいなものをね、自分のエネルギーに変えることができればいいんですよね。こんな不合理な、コンチクショウと思っているのを相手のせいにしないで、自分が頑張れるように変えていくことですね。そうすれば全然違った展開になるはずです。

名越　そのストレスのエネルギーって、今は計測できないのですが、実は途方もない甚大なものだと思うんです。だって毎日、瞬間瞬間に蓄積されているものでしょう。これが転換するとそれはすごい。

組織が変わらないから俺はダメなんだとか、不幸だと思わないことですね。そういうことを洗脳してくる人がいるんですよ。そこに同調しないことですね。

組織との距離感について

――組織を離れてからのことをお伺いしたいと思います。組織人から個になった時の外との関わり方についてアドバイスを。

名越　年を重ねてきた中で思うのですが、僕は父親を早く亡くしているので人生を長くはカウントできない。無駄な時間を使いたくないなと思う中で、結構本音を言うと、やっぱりウマが合う人と時間を過ごしたいということですね。仕事をする時も、大きい小さいではなくて、今まで東京という生き馬の目を抜くようなところで15年以上過ごしていますから、息が合わない人と仕事をしても結局うまくいかないんですよね。この人とはウマが合う、話の展開があるという人としか結局仕事は続かない。実利的にも、幸せ感というか充実感としてもウマが合うって大事だなと思います。

――家族との関わり方はどうですか。

名越　多くの家族をみてきた感触からいうと、やはり距離感でしょうか。家族は精神的に遠いところで見守っているという関係の方がうまくいっていると思います。距離が近くなるとどうしても自分の思いが先行するんです。相手のためを思ってとはいえ、どれだけ愛し合っていようが、相手に期待してしまってうまくいかない。つまり、向き合うとどうもうまくいかない。距離感をうまく保っている家の方がまあまあ安定していますね。

――名越先生はお子さんとの関係でさまざまな気づきがあったとのことでしたが、そのあたりはいかがですか。

名越　それがおかしいんですよ。他の家を見ていると、勉強してほしいとか、達成させることが目的となっていますが、それでも親子関係をなんとか保っています。

一方僕のところへ来る方たちは親子関係がズタズタになったから来るわけです。そうするとやっぱりいったん離れるしかない。僕も一度、子どもとバチッとぶつかったことがあった時「これはだめだ」と初めて分かった。で、やっぱり俺は子どもと楽しく暮らしたいと。よく何べんも大喧嘩するなって、世間の親子さんはなんてタフなんだろう（笑）。子どもにおもねるのではなく、楽しく暮らすことに専念しています。

テレビドラマや映画は時間が限られていますから、バチッとぶつかるのは2回か3回で、それで改心して仲良くなって2時間が終わるから理解できるんですよ。でもふつうは世間では、ずっとぶつかっていたりする。よく病気にならないなあと思いますけどね。

――養老先生にはペットのお話をうかがいたいのですが。「まる」の存在とは？

養老　安定剤みたいなものでしたね。19年間一緒に過ごしました。娘が持ってきたんですよ。

――普段の接し方はどんな感じだったんですか。

養老　なんでもないですよ。この辺に座っているだけで。その距離感がちょうどいいんですよ。

――犬よりもネコの方が距離感は取りやすいのでしょうか。

養老　取りやすいですね。

――養老先生にかまってほしいということもなかったですか。

養老　いやいや、ネコはそういうことないです。何か求めてくるのは腹がすいた時だけですよ（笑）。家の外には出て行っていましたが、ネコ同士の付き合いは好きじゃなかったみたいですね。ちょっと変わっているから。図体でかいし。

名越　僕、ネコが好きで、何匹もよく知っていますけど、1匹でいて群れないネコはいますね。

――19年もの間ともに暮らされたあとのロスは相当大きかったのではないですか。

養老 そういうことができるだけないような付き合いをしてきましたからね。世の中、無常ですから。

名越 たしかに、ロスの後まで考えて付き合うというのは、人間の側からすると大事な気がします。ペットロスって重症になるケースがありますす。本当にふらふらになってしまうことも。人間同士もそうですけどね。できるだけ軟着陸できるような、普段からそういうメリハリが必要ですね。

養老 僕、小学生の時にね「エノケンの法界坊」（1938年）って映画を見たんですよ。今でもよく覚えている。エノケンが歌うんですよ。「南無阿弥陀仏、南無阿弥陀、生者必滅、会者定離」と。それを今でも覚えているということは、印象が深かったんですね。世の中はまさに「生者必滅、会者定離」ですね。

――それなのに最近は社会が一つの価値観を押し付けてきます。健康管理だとか。60、70歳過ぎたら、無常の世の中なのだから、人生、自分の好きなようにさせろ、と言いたくなります。

名越　そうですね。やっぱり、今日すごく元気な人と会って勇気づけられたとしても、明日になったら、その人が病気になっているとかね。僕たちには表層しか見えない。この世の全ては見えない糸でつながって関係しているというのは仏教の現実認識ですが、そうすると人間の意識できる範囲なんてたかが知れている。

　人間の知性のレベルからすると、明日には何が起こるか知れたものではないのだから、基本、一期一会という考え方です。

——個人の領域に画一的な価値観を押し付けるというのがいやですね。

名越　毎日変化して、毎日問題が起こり、消えて行ったりしているわけですから。そんな価値観は意味がありませんよ。

8〜9割減った虫の数

——地域や自然とのかかわりについてお伺いしたいと思います。大地震が起きた時に備えて第二のふるさとをつくった方がいいというお話もありました。

養老 人によるでしょう。僕が付き合っているのはアクティブな人が多いですね。なぜだか知らないけど、そういう人の方が気が合うんだね。

だいたい、虫が好きで集まっているヤツなんて、ほとんどが職業を別に持っていますからね。みんな仕事を辞めたがっている（笑）。虫だけやりてえと。しょうがないから（仕事を）やっていると、そういう人が多いんですね。若い人もいますよ。まあ、僕から見るとほとんどの人が若いですから。

もう2年ぐらい続いているかなあ。毎週1回、ZOOMで集まっているんですよ。

名越 週1ですか、なかなかアクティブですね。

養老 話がなくてもちゃんと集まるから。

名越 2時間ぐらいやっているんですか。

養老 そうです。木曜日の夜に。ZOOMは便利ですよ。

名越 バリバリのビジネスマンですね。ZOOM会議みたいな。

——何人ぐらい集まるんですか。

養老 10人ぐらい。出たり入ったりしてますよ。

名越　10回ぐらいやったら、ちゃんとした本になりますよ。

養老　デイヴ・グールソンという人がね、「サイレント・スプリング（沈黙の春）」（レイチェル・カーソン）に倣って「サイレント・アース」という本を書いたんだけど。それによると1990年代から現在までの間に、全世界で8割から9割、虫が減ったんですよ。

名越　そんなに減ったんですか。

養老　（種類ではなく）量です、これはね。場所は関係ないんですよ、データがあるところはどこでもですよ。冗談じゃないんです。

名越　今でも、（絶対数は）動物の中では圧倒的ですよね？

養老　そりゃそうです。食物連鎖でいくとかなり下の方にいきますからね。鳥なんかかなり減っているんじゃないですか。ツバメなんて口あけて飛んでたって虫が入ってこなくなったんですよ。小鳥はだいたい、毛虫を捕ってっているんですからね。

名越　それは、やはり農薬とかの影響ですか。

養老　いや、理由は分からないんですよ。

名越　それでそんなに減るわけないですからね。知らなかったですね。僕はいまだに地球は虫の帝国だと思っていました。今、世界の人口は約80億人ですよね。それがいきなり

8億人になったみたいなことですね。

養老　はっきり数えられているケースがあります。オオカバマダラというアメリカのチョウですけどね、メキシコで冬を越して、春になると北上してシカゴあたりまで行って、秋に出たやつが一斉に集団で帰ってくるんですよ。アメリカのアマチュアが面白がって、メキシコの越冬地で数を数えたら、1989～90年、その時は200万頭。2019～20年では3万頭になっていた。木に止まってうんこするんで数えやすいんですよ。大きいチョウでね。

名越　昆虫のあらゆる種類にも影響が及んでいるんですか。

養老　僕も子どものころにこの辺で捕った虫を探しているんだけど、なかなか見つからないんだね。だから、昆虫食とかって言われるとね、冗談じゃないよ、食うほどいないよって。

――自然界で何が起きているのか、ちゃんと検証していかないと怖いですね。

養老　ここまで（環境問題を）無視すればね。そりゃあね。

――いつ人類に及んでもおかしくないですよね。

養老　もう及んでいますよ。それが少子化ですね。これも理由がハッキリ分かっているわけじゃない。ただ、なんとなく子どもがいないっていう状況になっている。

――メディアは社会的な要因を強調していますが、そんなに単純な話ではない。

名越　人間って、原因がこれだって言いたいんですね。とくに日本はその傾向が強い。ある種のエリート主義かな。そうじゃなくて、なぜか減っているんですといったら、もっとゾクッとするじゃないですか。この原因で、と言ったら、例えばじゃあ排気ガス出すなという、短絡過ぎてしょうもないことになって。コロナ禍で本当に参りましたね。この原因でとか。

養老　それで片付くような問題なら、問題になっていません。それで片付かないから問題が起こっているんですよ。

名越　安易に原因を言うなって思います。書いたらね、多くの人は信じてしまうんですよ。そこはですね、強権的に、安直に原因を書くなと。

養老　原因を書かなくても、原因があるんだよという形の書き方をしょっちゅうしますよね。要するに、異常な事件が起こるじゃないですか。そうすると、警察は動機を追及中と書く。動機を追及すれば分かりますよという暗黙の前提で成立しているけど、そりゃ嘘だ。異常な事件なんだから分かるわけないんですよ、普通の人には。そう書くべきなんですよ。

名越　それ大きいですよね。世界に対する認識のイメージが完全に狂ってしまうから、だから小説なんか衰退したんでしょうね。

　今の小説は結論を書かないといけませんからね。でもそれだと法則や定理を書いておけばいいわけで、わざわざ長々と物語を書く必要もない。本来は矛盾していたり、理屈に合わないことを筆力で納得させたりするのが、小説や戯曲の醍醐味だと思うんですが。なんでも原因があるって、あの浅薄さが、僕らの生き方をものすごく陳腐にさせていますよね。

――そうやって自然界でどんどん異変が起きて、個を確立するうえでも、自然の中に入ってその厳しさを実感することが子どものころから必要ですね。

養老　今はあんまりやらせてないでしょ。だから、僕は学校を遊ぶところに変えろと言っているんですよ。山の中に造ってね、子どもが来たら外に放して、先生は見張ってりゃいい。どうしても教室で勉強するのがいいと言ったら、させてあげればいい（笑）。そんな子はいないと思うけど。その方がよっぽど健康な人が育ちますよ。

名越　早急にやってほしいですね。少子化が進んでいるからできますよね。

――健全な精神をつくらないと歪んでいってしまう。

名越　健全な精神ってぜいたくなことやね。１９８０年代、90年代ぐらいまで言われてたけど、それがないと箸にも棒にもかからなくなるよって、ちょっと分かってきたんじゃないかなと思うんですよ。

養老　子どもなんてみんな注意欠陥多動性症候群ですよ。

名越　ほんと、そうです。だから一つに集中して、感覚遮断みたいにしてえらく勉強する子か、何にも集中しない、関心を持てない子が量産されるような教育システムになっている気すらします。

——今は教室にまでPCやタブレットが入って来て、そこで勉強。五感、六感で判断することがなくなってきているようにみえます。

名越　カリキュラムを今日からやめっていったらいいんですけど、教育の現場のみならず教材を刷る人、作る人などなど、すごいシステムが動いているんだからそうはいかない。

——逆説的ですけども、大地震のようなガラガラポンが起これば、そういうシステムが変わる可能性はあるのでしょうか。

名越　通常ならめったなことは言えませんが、現在の日本にとってはリアルな話ですからね。もしそうなるとあふれてしまう人がいっぱいいるから、全体が動くかも知れませんね。その時に元に戻すのではなくて、残っているインフラや人員やその地域の自然環境をとりあえず活用した教育が仮に始まれば、可能性はあると思います。既得権益もいったん崩壊していくだろうし。

――地方では独自のカリキュラムで運営している学校が出始めています。周りの自然環境が豊かですからね。少しはそういった動きが出てきています。

養老　だいたい大人が邪魔するんですよ。爺さんが邪魔する。しつけなきゃいけないと思い込んでいますから。子どもは勉強するもんだとか。本当に勉強しなけりゃいけないのはおまえだろうって（笑）。

虫捕りのイベントなんかで小学生の子どもたちと付き合っているんだけどね。広島の虫捕りイベントの時も、その手の教育を受けていないから親が喜んで参加しているんですよ。何も言わないだけで。一番うれしそうですよ。

――コロナ禍のキャンプ人気を見ていると、お父さんたちもブームに乗せられているだけで、内発的な動きとは違うなと思います。

養老　そういう人たちに、地震になったらどうするのって、教えてあげたらいいと思いますね。そうすると将来のために、まさにいいトレーニングになりますよ。

――アウトドアは防災のスキルが満載ですからね。自然の中でサバイバルを身に付けるためにも、小さいころから自然と触れた方がいいということですか。

養老　そうですよ、もともとそうやって人は育ってきたんですから。それを無理やり人工環境においている。僕はネズミを飼っていたから、よく分かっているんですけども、生まれた時から籠の中にいて、エサと水はいつもあるという状況にいるネズミはどうしようもない。だけど、あんまり悲観的でないのはね、そういうネズミを机の上におくとね、机のへりをヒゲで触って歩いているわけです。ゆっくり歩いている、逃げもしないで。

そのまま1週間もたつとね、完全に隠れちゃう、いなくなっちゃう。どこへ行ったんだろうと思って探したらね、古い大学ですからね、棚の一番下がね、ちょっとスが入っているんです（細かな穴が開いている）。そこに切れ目があって、そこから棚の中に入ってね、角っこで天井を向いていました。だから、人でもある環境に置かれたら、あっという間に野生を回復しますよ。

名越　あらゆる知恵が脳の中に残っているのでしょうね。

養老　それじゃなきゃ、何十億年も生存してこないですよ。

名越　未曽有の災害があっても生き延びてきたのは、その時になんか発現するんでしょうね。

養老　ＡＩなんてバカみたいなもんでね、70～80億もあるものを、またなんで作ろうというんだよ。脳みそを。あるのをもっと使えって。

名越　養老先生の別荘「昆虫館」に行った時に、森林の中の話をしてくださって、その時からずっと気になっているのが多様性ですね。１枚の葉っぱとて同じものはない。それって恐るべきことだなと思ってきて。

養老　複雑でしょ、そういうのを見ると。その複雑さというのがひとりでに（自分の中に）入っちゃうんですよ。そして、自分の中にある複雑さと対応しちゃう。だから気持ちがいいんですね。統制が気持ち悪いのは、きれいにしちゃうでしょ。なんでも直線になっているし、そんなルールを見せられても面白くもなんともない。

ところが、自然の中のルールというのはものすごく複雑なんですよ。その複雑さからルールが生まれているんで、そこが共鳴するんですね。世界は複雑だよって教えてくれる。共鳴すると気持ちがいい。だから、みんな自然の中で気持ちがいいんですよ。共鳴しているんですよ。

――山や森の中にテントを張って泊まる。最初は真っ暗の闇の中で葉っぱが揺れただけでも恐怖を感じたものですが、なんども体験しているうちに居心地が良くなってくる。そういう体験って必要だなと思いますね。

養老 そんなことを言わなくてはならなくなったことが変なんですよ。ブータンを旅行した時にですね、夜、真っ暗なところを地元の人は平気で歩いているんですよ。よく歩けるな、と思いましたね。石ごろごろですからね。でも彼らは見えるって言うんだから、自然と共に生きているってことはすごいものですよ。

欠けている客観的な物差し

――養老先生、今、地方にはどのぐらいのペースで行かれているんですか。

養老 月に2、3回ですかね。子どもたちを口実にしてね（笑）。

名越 島根にも行かれているそうですが、島根は虫的には興味深い場所なんですか。

養老 そうでもないんですけどね、まあ十何年行っているんで。中国地方って、非常に日本的っていうか、やっていることを見ていると非常に先進的ですね。先進的という意味は、グローバリズムでいう先進的というよりは、本当の意味で先進的なんですよ。
この間も、津和野の町役場に勤めていた人が定年になってね。今何やっているかっていうと、バイオマスの発電をやっているんですよ。小さな会社を立ち上げてね。外国から比較的スケールの小さい機械を買って、今は12台になった。
それを並べて、何するのかというと、まきとか枝とか、そういうのを燃やして、ガス化する。そのガスを使って発電するわけです。要するに将来の地域のエネルギーの自給を試みているんです。そういうことが中国地方はやりやすいんですよね。山がいっぱいあって、集落が小さいんで。

――環境が整っているわけですね。

養老 そうです。広島もそうですけど、山口もそう。広島市は大都会ですけど、山奥に行ったら違いますからね。面白い動きですよ。

名越 それは煙がもこもこ出ないんですか。

養老 出ないね。炭焼きと一緒だ。炭は残る。それは畑にすき込むわけです。

――50人ぐらいの集落であればエネルギーを賄えることになるということですか。

養老 そうです。機械は日本製じゃないんですよ。フィンランドの。フィンランドやスウェーデンは本当に何にもないんで、木しかないから、そういう技術が進んでいるんですよ。

名越　炭もできて、それも活用できる。

養老　発電でいえば小水力は各地で全面的に使った方がいいですね。日本は水が豊富なんだから。発電のまずいところは効率を考えることです。でかいほどいいんですよ、今の考え方で言うと。だから、つい大きくしてしまう。せっかく地域のためにバイオマス発電をやってもね、まきが足りないとかいうことになって、木を切り出して環境破壊になってしまう。そこが難しい。（津和野の人は）そういうバカなことをしないでね、まさに内発的にやっているわけです。本気でやればいいんです。

名越　自分たちの地域のことを考える、つまり内発的になるんで、すごくいいですよね一体感があって。

——地域ごとに内発的なエネルギー革命を進めていったら原発はいらない、ということになります。

養老　だいたい、東京をこんなに大きくしちゃったから、福島で原発を運転しないとどうしようもなくなってしまっている。

――そういう意味でもガラガラポンで東京一極集中が変われば、日本が変わっていく。

養老　おそらく自立するのも、個人がすごく楽になると思いますね。変な心配しないで済みますからね。会社のこととか。ダメなら全員共倒れだから。何とかしなくちゃならない。知恵が出ますよね。

――地方の先進性のお話が続きましたが、中央の政治や社会には多様な価値観が欠けているように思います。

養老　僕はなんだか、日本の現代を象徴しているのが、凶弾に倒れた中村哲さんという人をどう評価するかってことだと思う。まったくないんですよ。沈黙になってしまっている。

中村さんは戦後の日本の模範みたいな人でしょ。それなのに「医者が個人でアフガニスタンで勝手なことをしていた」というのが日本社会、政治の感覚じゃないですか。中村さんが、そんなことをボソッとこぼしていましたね。

――ああいう人物のヒューマニズム、人道的な行いがきちんと評価されない国ってどうなのかなと思いますね。

養老　世界的にも珍しいんじゃないですかね。

名越　なんか、口を開けると、自分が色分けされるって恐怖があるんでしょうね。

養老　中村さんの場合、なんにもないでしょ。
名越　そうか、叙勲も何もないんだ。異様ですね。
養老　そんなことより、戦後の日本はあの人をどう評価するんですか。
名越　変なことをしたおじさんくらいにしか見られていない。奇特な人とか。
想像力の問題がある気がします。日本人だけかどうかは分かりませんが、自分のレベルの領分を超えたことを考える人のことを、社会単位で無視するというか。そこを登ってさらに広い範囲を見渡せる、思考のための梯子がない。
だからごく分かりやすいものの中で、「すごい」も「すごくない」も全て決められてしまっている。それ以上はみ出るともう認識すらされなくなるというか。これって実は思考の牢獄ですね。
——本来なら日本の政府、政治がやらなければいけないことだった。
養老　抽象的には完全にそうなんですよ。アフガンで工事をやっている最中に米軍機に空爆されて、アフガンのアメリカ大使館に抗議文を送ったんですよ。自分で書いてますよ。（彼の）仕事は終わったわけじゃなくて、ハンセン病の病院をつくったんですね。すぐには閉められないから、それはまだやっているはずですよ。

名越　水路も補修がどんどん必要なんでしょ。

養老　そのために日本の竹かごの伝統を使っているんですよ。鉄の網に石を入れて、現地の人が自分で工事ができるように。江戸時代の九州の水路を見て歩いたんですよね。それが一番役に立っているわけです。現地の人たちが自分たちで修繕できるって。

――地域の人たちの自立を促す意味でも貴重ですよね。

養老　それがね、地域の人たち、いなくなっちゃった。アフガン難民１００万人と言いますけど、そのほとんどは干ばつ難民なんですよ。みんな政治難民と思っているけど、そうじゃない。

――日本ではいつになったら評価するのでしょうか。

養老　別にほめなくてもいいけど、どう位置付けるかでしょうね。個人の自立って話だけど、中村さんなんかは典型的にそうですけど、今度はそれをどう評価するかっていう問題があって、なんの物差しも持っていないですよ。ポカンっていう感じですよね。

――人類にとって本当に必要なことを行った人に何の評価もしない日本ってなんだろうっていうことですよね。結局は、歴史が勝者、権力者の視点から書かれている、評価されているからでしょうか。

養老　政治史なんですよ。僕、調べたことがあってね、思想史はどうなっているだろうかって。そうしたら、思想史なんか何もなくて政治史なんだね。典型的なのが山鹿素行ですよ（※江戸時代の儒学者〈仇討ちは、天下の大道にて目のある場で打ち果たすが手柄というべし〉としている。「山鹿語類」）。

山鹿流陣太鼓（討ち入りの際、大石内蔵助が打ち鳴らしたといわれている）ってあるんだけど、しょせん赤穂浪士の討ち入りだということです（※「討ち入りの陣太鼓」は創作で、要は「討ち入り」が政治史になっているということ）。

コラム　養老先生の「解剖学事始」講座

島国の日本は歴史上、常に外国からさまざまな物資だけでなく文化、文明を取り込んできた。西洋医学もそのひとつである。

明治維新以降、日本は西洋文明を取り入れて近代国家づくりに邁進していく。その過程で、内発的思考が影を潜め、外発的なものに左右されていき、それが今日まで脈々と続いている。

養老先生の専門である解剖学においてはどうだったのだろうか。解剖学というと杉田玄白の「蘭学事始」を連想する人が多いが、その前にわが国初の解剖を行った人物がいる。その後の論争を通じ、解剖に対する内発的な欲求が強まっていき「蘭学事始」に至るのだが、今日、その過程はすべて忘れ去られている。「ニホンという病」の原点、象徴かもしれない。そこで、あらためて養老先生に「解剖学事始」を語っていただいた。

僕が大学院に入る時に、先輩がこう言いました。「おまえ、解剖なんて杉田玄白だろ」って。今さらやることあるのか、というわけですよ。そこにね、ひとつ大きな誤解がある。解剖は杉田玄白だっていう、そうじゃないんですよ。ちょっと医学史みたら玄白が解剖をする17年前に京都で、山脇東洋という医者が解剖をやっているんだね（※山脇東洋、1754年に解剖を初めて行った。1759年に日本初の解剖学誌「蔵志」を刊行）。それをね、僕の先生の先生だった小川鼎三先生が年中言っていたんだ。

小川先生って歴史に関心があってね、東大を60歳で定年退職されて順天堂大に移ったんですけど、医史学講座って日本にひとつしかない研究室を創設したんです。その人が、山脇東洋に入れ込んでいて、自分の息子に東洋って名前を付けちゃったほどです。

さて、山脇東洋が解剖をやった17年後（1771年）に、小塚原（刑場＝現在の南千住）で解剖（腑分け）が行われたんですね。当時、解剖をやっていたのは、「蘭学事始」を読むと分かるんだけど、南町奉行所なんですよ。

奉行所から使いが来て、「あした小塚原で解剖がある」という知らせが来たというのが事始の書き出しなんです。すでに公にやっていたということですね。杉田玄白はその中で、幕府の医官たちのことをね、「俺は解剖を見た」といばっているけども、自分みたいに参考書も持たずに（小塚原に）行ったから、学問上なんの役にも立ってない、と批判していますよ。

東洋の書籍をよく見ると非常に面白い。

何が分かるかっていうとね、初めての解剖の5年後に「蔵志」って本を出すんですけど、そこでものすごく議論が起こるわけです。解剖、是か非か。だけど、その後日本中で解剖が行われるようになって、そのはしりが江戸に来ているんですね。それで玄白が出てくるわけです。

東洋の「蔵志」をみるとね、序のところに、自分は50歳になって初めて荻生徂徠の本を読んだ。大海に乗り出したような気がした。世界が開けたというわけです。玄白もそれを知ってて、自分の書いたものの中でね、解剖関係の豪傑として山脇東洋と荻生徂徠を挙げているんですよ。

「蔵志」の序にはね、面白いことが書いてある。

「堯（聖人）の蔵、紂（悪い王）の蔵、蛮人の蔵に変わりなし」と。頭が平たいというか、権威意識がないんだね。

当時の解剖体は刑死体ですから、刑場に行ってやるわけですね。東洋は解剖後に、その人（屈嘉という38歳の罪人）の遺体を引き取って来てね、葬儀をやる。「利剣夢覚信士」という戒名をつけて新京極の誓願寺に手厚く葬っているんです。

でも、これは完全な違法行為なんです。当時、死刑になるということはお上の命令に背いたということです。謀反人ですからね。それに正式な葬儀を出すことは許されないわけです。東洋にもし政治上の敵があったら、相当な目にあったと思うんですがね。それでも通ったんですね。一応、京都所司代の許可を得ているんでね。一緒に解剖を行った小杉玄適は小浜藩（福井県）の藩医だったんですね。

だから解剖っていうのは必ずしも外発的なものではなくて、東洋が解剖した後、日本中に広がったというのはニーズは非常にあったということです。「内臓ぐらい分かんなくて医者ができるのか」という、そういう議論はしてませんけどね、そういう気持ちがみんなにあったんですよ。

東洋は若いころからね、解剖をしたかったんです。古方《こほう》と言うんですけど、当時はいろんな流派があって、東洋自身のモットーは「親試実験」、親しく試みて実際に体験する（実証主義）。若いころ、解剖したいと思っていて、京都亀岡の人なんですね、後藤《ごとう》艮山《こんざん》という大先輩に会う機会があって「自分はどうしても解剖をしたい」というと艮山は「解剖は法外」、官の禁ずることは実用でない、できないというわけです。中国の古書を読むとね、人の内臓とカワウソの内臓は似ていると。「カワウソをやれ」と言われたんですよ。それでカワウソの解剖を何回もやったわけです。

でも、それでは満足できなかった。山脇家に伝わっていた西洋の解剖書があるんですけどね、僕も持ってるんだけど、ちょっと面白くて。「蔵志」では、小腸と大腸の区別をしていないんですよ。よく見てないんですね。西洋の解剖書を見てみたら、ちゃんと書いてなかったような気がする。17世紀イタリア・パドヴァ大の教授・ヴェスリングの解剖書「解剖学の体系」（1641年）です。

東洋の行為に対して、当時、激しい批判が出てきました。同僚というか、親しかった吉益東洞という医者はね「医者の務めは病人の苦しみを救い、死を免れさせることであり、死体を解剖することは医者の仕事ではない」と批判しているんです。

別な事情から言うとね、刑死した人は死刑になったことで罪の償いは済ませている。さらに解剖という行為を加えるのはいかがなものか。そういう人であっても、当然、一家があり、そういう人たちが何を思うか、というわけです。

もっと面白いのがあって、俗にね、びっくりすると肝がでんぐり返るっていうでしょ、生きている人と死んでいる人で内臓の位置が同じである保証はない、という見方もあった。これはレントゲンが出るまで解決しなかった。我々が習ったのは、江戸時代の人は無知蒙昧だということでしたが、そうじゃないんだ。ものすごくきちんと物事を考えていたんですよ。

こうした歴史があるのに、それが僕らのころになったら、解剖は杉田玄白になっちゃった。玄白の「蘭学事始」ってのは、原本が安政の大地震でなくなってしまったのですが、幕末のころ、福沢諭吉の知人（神田孝平）がニコライ聖堂裏の露天で見つけてきて、後に福沢が出版したものです。要するに緒方洪庵の塾で苦労する、その青春の思い出なんですよね。いつのまにか解剖学が「蘭学事始」になっているのです。

第5章

2022年1月に東京・神田の出版クラブホールで始まったお二人の対談。季節が移ろうたびに場所を変え、その時々のテーマで語り合い、濃密な時間が過ぎていった。最終回は1年後の2023年1月、舞台を再び東京・神田の出版クラブホールに戻して行われた。

最終回のテーマは「生と死」「死と再生」。近い将来に発生することが確実視されている南海トラフ地震を踏まえ、解剖医と精神科医がそれぞれの死生観を語り合った。

南海トラフ地震後の復興と社会の変化

最終回のテーマ「生と死」「死と再生」に入る前に名越先生から、「養老先生が気にかけていらっしゃる南海トラフ地震について、ご見解を掘り下げて伺いたい」との要望があった。

――死者32万人、被害総額が220兆円とも想定され、その後の展開次第では国家存続の危機になる可能性もあります。

養老　こういう災害は規模によって何が起こるか分からないから最悪のシナリオを考えるしかないですね。南海トラフだけでなく、東南海に首都直下型地震が連動する可能性もある。それから火山活動の活発化という事態も考えておかなければいけません。噴火もね。全部が一緒に来るということは、まあないと思うんですけど、東南海が連動してくることは間違いない。1年ぐらいのずれがないとは言えないんですけど。

どうせ、その頃も今みたいな（日本が衰退局面にある）状況になっているはずですから、これを元に戻すっていう時に、この国は何かあると以前の日常に戻すという傾向があるんだけども、それを上手にやめられるかどうかがポイントです。

具体的には、地域的に小さな単位で自給していくことができるかどうか。（東京一極集中から脱却して）そういう小さな社会構造に国をつくり直せるかどうかが重要になります。災害があって、いろんな意味で不幸が起こったあとに、いったいどういう社会をつくるのかがいちばん大事なポイントだということです。

小さな単位で地域的にやっていけるように、当然、災害のあったところとなかったところで、ある種の不公平が生じてきます。それはしょうがないとして、いちばんの問題は東京ですね。大都会の復興、再建をどういう形で落ち着かせたらいいのか。これは我々が考えることではなくて、実際には官庁なりシンクタンクが、今の人口、多少減るかもしれませんけど、これをどう分散して、どう移したらいいか。今から手を打っていくべきでしょう。それが進めば、環境問題も一気に片付く。そういう未来像を今から考えていくべきでしょうね。

――現状は防衛力増強、増税と反対の方向を進もうとしています。財政破綻で復興もできず国家が衰退し、諸国の侵入を招き、国家存続の危機に陥るかもしれません。最悪の想定ですが。

養老　今後の展開次第では、そういう問題が起こってきてしまうことも考えておかなければいけません。それ（分散型）を好まない国があるかどうか。

いちばん根本的にはアメリカがどう捉えるかですね。相変わらず、日本の市場に注目し、モノが売れる場所にしてほしいのでしょう。将来的なことを考えると、もう日本には何にも売れないよ、という方がこちらとしてはいいわけです。

最近、政府は国土防衛強化とか言ってるけど、何をどう防衛するのかよく分からない。防衛費の問題はあれですね、おカネの問題っていうより、我々が経験しているのは、悪い言葉で言うと（自衛隊を含む国家体制が）暴力集団になっていくことですね。政治が上手にコントロールできるか、シビリアンコントロールですね。

戦後、その能力をつけてきたのか。本当の意味で（シビリアンコントロールを）理解して動かすってことができるんですかね。

極端な話、戦前からの社会に対する反省が足りない。アメリカなんかも徹底的に暴力的な社会ですからね。そういう問題に対する理解がはるかに深い。そういうことを（岸田政権が）どこまで考えているのかな、と思いますね。防衛の問題は。外部に対して力を持つってことは、国の内側に対しても力を持つってことですよ。

――内部は抑え込むという形にいくのでしょうか。

養老　災害の後は必ず法と秩序が表面に出てきます。安政の時（1854年の安政東海地震、安政南海地震）は、安政の大獄（1859年）が起きています。極端に国論が分裂する可能性があります。その時に「暴力集団」が、どっちにつくかで問題になる。やっぱり、権力側になるでしょうから、どういう考え方の人をリーダーにするかで日本の未来が決まっちゃうんですよ。

安政の地震の後は、安政の大獄から明治維新になっていく。それ以前の日本史でも全部、ものすごく大きな方向転換が起こっています。源平の争乱（1180年）の時もそうです。「方丈記」に書かれていますが、（1185年3月24日に）平家が壇ノ浦で滅んだ4カ月後の7月9日（新暦では8月6日）に京都で大地震（M7・4）が起きています。その後、平安の貴族政治から鎌倉の武家政治へと変わっていく。必ず大きな変化が起こるんです。そうした状況の中で、自然環境を管理できるか、ということですよ。今はほとんど個人的な努力でやられているんですけど。

――南海トラフ地震というと規模と被害想定ばかりに焦点が当てられていますが、歴史的なことを踏まえて国家がどういう状況に陥るのか、どんな変化が起こるのか。その視点が欠けているということですね。

養老　世の中、太平ですよ。

死より、いかに生きるかを考える

――そうした将来像を踏まえて「生と死」の話をお聞きしたいと思います。コロナ禍、ウクライナでの戦闘長期化という状況の中で「生と死」という根源的なテーマを身近に考える機会が増えました。

養老　最近よく思うんですけどね、死については、メディア、今回（のテーマ）もそうですけど、扱う時にですね、非常にこう、平等で単一に見えちゃうんですよ。そっちに議論を持っていくと、忘れちゃうのは裏側ですね、というか本当は表側なんですけども、生きるということについての思考がおろそかになってしまう。だから、あんまり死と言わないで、いかに生きるかを強調した方がいいですね。

コロナでいろんな規制が起こったこともそうですね。要するに生き方の問題にかかわっちゃう。死ぬことを心配するとね。政府とか行政はそういう考えですから。死者の方が数えやすいから。生きている人がどのくらい元気かなんて計算はできないですからね。規制という政策が死を基準にしてつくられていくわけです。

――死を前面に出すことはマイナスでしかないということですね。

養老　本来、マイナスでしかないですよ。

名越　きょうは、養老論の中で展開されている日本像をぜひ、ちゃんと聞いておきたかったんですけど、先ほどコンパクトにしかもバランスがとれたお話をしていただいて頭の整理ができました。

そのお話を踏まえて思ったのは、これからは生き方自体をなだらかにでも、結構急いで変えていくべきだということです。南海トラフをどういうふうにとらえるのかは、メディアを通じてもっと多角的に、ある場面ではバラエティーの番組なんかも込みで伝えて議論すべきだと思います。

死というものを深刻に考えたくなければ、ライフスタイルを変えていくことが大事だと思います。半年や1年でできることではないのですが、10年も20年もかかるとも思いません。数年、5年ぐらいの単位で、自分がどこに住むのかとか、どういうことに生きられる時間を溶かし込んでいくか。時間が溶けるなんて、「ゲーム5時間やっちゃって時間溶けた」みたいにね、無駄に使う時の言葉ですけど。でもそんなこと言ったら、生きている時間は全部何かに溶けていくわけです。さめてみたら、そんな大したことをやっているわけじゃない。諸行無常、盛者必衰という大局のことわりからみるとすると、実は何をやろうとそんなに差はない。

その上で何に時間を溶かすのかというふうに考えると、価値観が変われば日本人のライフスタイルが5年ぐらいで結構変わっている可能性があると思うんです。そうなっていれば、南海トラフのあとの混乱というものもある程度緩和される可能性がある。5年、10年かけてムーブメントを起こしていけばね。

例えば、養老先生がおっしゃっている（地方に生活拠点を構えて東京と行き来する）参勤交代の話です。

「20年間いろんなところで言っているけど、誰もやらないんだよ」とよくおっしゃっていますが、僕、ようやく波が来ていると思っています。山陰などの地方に行くと、地元の方は「こんな田舎で何もありませんが」と言われるのですが、こちらからすれば「めちゃくちゃいろんなものがあるじゃないですか」となるわけです。森も山も川もある。虫はいるし。

最近になってZ世代という10代から20代の若い人たちは、ある意味地に足を付けた世代で分相応ということを実によく考えています。そういう人たちが田舎に行って、小さなお膳でご飯を食べることに豊かさを感じるというのは、バブルを経験している人間よりも10倍簡単な気がします。

自然に抱かれたライフスタイルの中で、死んだら土に返るわけですから、死というものが生きることのひとつの句読点として、もう少し受け入れやすくなるんじゃないかと思います。これには一貫した思想性があるように思います。養老先生が生きることがおろそかになるよとおっしゃったことの裏側を、僭越《せんえつ》ながら僕が類推するとそういうことにもつながるかなと思います。

——死は誰にでも100％訪れます。だからこそ、日々をどう生きるかが大事、どんなライフスタイルにするかが重要だということですね。

養老　南海トラフ地震というこの先確実に起きる大災害がまさに象徴的ですね。ひとつの区切りで。

死を受け入れる

――いつかは必ず来る死の受け入れ方についてお伺いしたいと思います。

養老　死というテーマでもうひとつ気になるのは、死で消えてしまうことですね。若いうちは自分の心を中心に置いているような気がします。だけど、最近の考え方だと、自分の心がどのくらい自分の中に閉じられているか、ということがやっぱり問題になってくる。その時、田舎というか自然の中で生きる、そういう生き方をしていると名越さんが言われたように「土に返る」と、素直に感覚でとらえられる。つまり、自分の心が自分の中に硬い点として居座っているわけですが、それが周りにちらばっていく。そういうほどけた感じの心、そういう傾向が進んでいくんじゃないか。

これはネットとかコミュニケーションが急激に進んだ時代のいいところだと思うんですよ。僕らのころは、それこそ個性とか、心の特徴を育てるような考え方をしていた。これからはそれを周りに分散してしまう。人間の世界に分散すると古い形になっちゃうんですけども、もっとおだやかに世界に分散する。そうすると自己の死というのが、都会の中の孤独に比べてはるかに楽なものになるんじゃないかという気がするんですけどね。今の都会人は、自分の心を周りにつなげられなくなっちゃっていますからね。

名越　一昨年、突然、有名なユーチューバーの人に指名されて、SNS上の実験的な演劇に出ました。僕が記憶をなくした患者役で、医師から数日にわたって幾つかの質問を受け、それに即興で答えてゆくという舞台です。

それを何万人、何十万人の人たちが見て、コメントを書いてくれたんです。いわば僕の自我が見てくれた何十万人の人に溶けてしまったというような感覚です。今も残されているコンテンツには何百という書き込みがなされたのですが、もうこれは僕にはまったく分からない、見た人がそれで触発されて、それぞれの内面化された経験がおそらく何万通りと出現している。

そんな実験をやってみて、SNSの良さにも気づきました。SNSって反自然のように思ってしまっていますが、その中でもまるで粘菌のように網の目が広がってゆくような動きがある。養老先生のお話を聞いて、あの経験はそういうことにもつながるのかなと思いましたね。自我がすごい楽になったんですよ。

――興味深いお話が続きました。では、死後の世界はどうお考えでしょうか。解剖の現場に長いこといらっしゃった養老先生はどういうふうにとらえていらっしゃいますか。

養老　いや、僕はそういうことは考えないです。そういうことを考えると、解剖していると困るんですよ。「痛い」って言われても困るしね。

実際、そういうことがあったんですよ。献体団体のトップだったんですけどね、おじいさんで、献体した人が夢に出てきて痛い痛いという。複数の大学が共同して１００万円の仏壇を買ってあげたら治ったという。

あの世はあっていいんですけど、普通、どういうもんだって決められないでしょ。それから死んだ後の自分というのをね、今の自分と同じと考えるのか、生きている自分と固定して考えるのか。そんなこと、素直に考えたらあるわけないんで。死んだら世の大事件でしょ。死を経験したら、違う人が生まれるに決まっているんだ。ブータンなんかでは、死んだ人は生まれ変わってハエになったりする。その方が素直ですよ。

名越　例えば、有名な登山家が遭難して、本当に九死に一生を得て、帰ってくると人が変わってますね。宇宙飛行士も昔は決死の覚悟で行っていたから、帰還後はものすごく変わってたりします。

養老　だから、そういうふうに考えると、生まれ変わりというのはむちゃくちゃじゃないのって言うんですよ。生まれ変わるというのは「死と再生」って言うんですよね。どうなるかっていうのは大事なことなんですよ。先の南海トラフ地震でも、死と再生ですよ。問題はどういうふうに再生するかですよ。

幸せに生きる

――先が見通せないますます不透明な世の中になってきています。そんな時代の中で、生き方とも関わる価値観の一つが幸せかと思います。

名越　人間の幸せについて、体系的に研究した学問というのは例外的に仏教がありますが、これは世界的に見ると比較的ローカルなものですよね。でも、それぐらいしか思い浮かばない。

歴史的には人類はいつもよく吟味せずに、これで幸せになる、と見切り発車で突っ走ってきたんでしょうね。これをやったら心の安楽があるということを、もうちょっと吟味すればいいのにと普通に思います。こうなれば幸せだというのは思い込むんでしょうね。目算が軽薄なのか、全部失敗しているように思えます。

養老　例えば、南海トラフのような災害の後ですけどね。そういう時にいちばん困るのは、余裕がないから、キリキリしていますから、なんか、強いものについて行っちゃう傾向が出てくることですね。そういうことが起こりやすい。どうやって自分に余裕を持たせるかということを今から考えるべきじゃないですか。やっぱり、みんなが自分自身で悟らないといけないんですよ（笑）。人生、こんなもんかと。それ以上欲張ってどうする。昔から自足っていう言葉があります。どのくらい、それができるか。まさに個人の内面が問われるわけです。

（災害後の混乱状況でも）世界をコントロールするっていう考え方をする人がいると思うんだけど、それは害がある。復興、再生がいい方に向かえば、1億人の人口を回復するでしょうけども、悪い方に行くに決まっている。必ずへそ曲がりがいて、かきまわしますからね。そうなると内部に軋轢《あつれき》がおきて権力が強化されていくことになります。

――この対談で何度も話題になりましたが、明治維新、敗戦、そして南海トラフ。日本は三たび、大きな転換期を迎えます。

養老　世の中が壊れるわけですよ。それでも小さな日常は絶対に維持されます。そこは安心していいんじゃないですかね。そこら辺があるかないかで状況がまったく違ってきます。よく言うじゃないですか、「そんなことになったら世の中めちゃくちゃになる」って。でもね、世の中がめちゃくちゃになったことを僕はこれまで見たことがない。歩いていたらいきなり棒で殴られたっていう世界にはならないですよ。いちばん基本的な人間の常識は信用していいと思います。

日常生活の範囲では、きれいな水が出ないとかね、トイレが流せないとか、そういうことはなんとか我慢して、あんまり頑張らないで上手に暮らしていくことですね。最低のことから考えていく、悪いことじゃないですよ。

どさくさに紛れて他国が侵入して来るという見方がありますが、そんなことは心配しなくていい。あんなところに入り込んでもこっちが大変なだけだということでね。むしろ、誰か来てくれるんなら労働力になるから歓迎だということですよ。外国の軍隊が入ってきたら、「おまえちょっと畑手伝え」って言えばいい（笑）。

名越　僕もどういう状況になっても、自然を愛したり、日々の生業を愛したりする心が残っていればよい気がするんです。具体的には、ちょっとした休憩の時間に周りの景色を眺めたり、仕事の合間に呼吸を整えて体の感覚を味わうような時間をもつ。それが自分を取り戻すとはどういうことなのかを体に培ってくれると思うんです。その寸暇の中では、人はただそこで充実している。その寸暇に、日常のつまらないことを忘却するほどの一体感がある。

そういうものこそ、他人から奪われない本当の多様性であって、頭でこねくり回すものではない。とくに森や山の生命の多様さはそれを人間に浸透させてくれる。そういうものに定期的に自ら求めて触れていれば、流されなくて済む。

それさえあればあとは一人一人は勝手にやってほしいんですよね。そうやって自分で安らぎをつくり出せる人は、仮に体制が不安や恐怖をあおり立てても、やたらに動揺はしない。

自分の感覚を見失って（権力や統率勢力の）言うことばかり聞いていたり、統率されていたら、このままの方が彼らの利益になると思われるじゃないですか。個人個人それぞれがバラバラだったら、使い物にならないということになる。

——ライフスタイルが変わっていく可能性について、もう少しお聞かせいただけますか。

名越　そんなにたいそうなことは言ってなくて、春と夏は子どもたちとキャンプに行くとか、デートする時もたまには森の中を歩きましょうとかですね、その程度でいいと思います。徐々にそういう嗜好性になってきているような気がします。コロナだったから密になるのを避ける生活が身につきました。そこで山登りしようかとか、民宿に泊まりに行こうとかですね。そういうところにいると、ああすれば必ずこうなるはず、という論理的結末がむしろあんまり起きないことだと分かってくる。

　すると経験や体験を経て、もっと奥深い論理にブラッシュアップするのが大事だと次第に分かってくる。これを心理学では自然の結末を経験する、というような言い方をします。でも逆に、そんなあやふやな中に入ってみると、なんとも言えない大きな流れが感じ取れるということが起きる。本当の豊かさは感覚でつかむしかないわけですから、言葉にできるところは知れているのですが。そういう経験を経てゆくことで、刺激反応系とはまったく違う感覚の流れが、僕たちの体の中に起こってくるんです。

呼吸ひとつにしても、深いひと呼吸でバーッと毛穴が開いて汗ばんでくる。ちょっと軽く、それこそ虫捕りとか行って、自然の中で息を吐いた瞬間、体がバーッと変わるような感覚があって、それで感覚が全て世界を取り入れているんだな、とつながれば、価値観はおのずから力強く変わっていくと思います。

これまで、そういう感覚をどれだけ排除してきたかということですよ。政治に関心を持てというよりは、土の道を一日歩いてごらんという方が、絶対に気持ちが変わるような気がします。毎日、心がけてそういうことをしていると2、3年で十分変わると思いますね。

養老　毎週毎週、山に行ったりするようになると、面倒くさいから田舎に住んじまえってことになりますよ。

名越　そうですね、人口の20人に1人、10人に1人が田舎に住みだしたら、世の中大きく変わりますよ。派遣会社のエリートだった僕のお弟子さんが、今年になって地方の村に住みだしたのです。今後どうやって生きるか考えた末、ある日一人暮らしを始めたんですね。そこには僕の知り合いのミュージシャンの方がいて、「時々のぞきに行くわ」と言ってくれたりしましてね。こういう人が適度に増えていくんじゃないかという気もしているんですね。

――最近、高齢者が多い地方の集落に若い人が移住する動きが徐々に出てきていますね。

名越 昔は、そんなことは変わり者がやるんだと思われていたんですが、コロナ禍で本当の豊かさに気づいた賢い人は自然の近くに住むようになってきているように感じますね。

――地方でもネット環境などが整備され、社会との接点を保ちながらの移住生活が送れるようになってきています。

名越 5年、10年ほど前から整ってきていたんですが、人々の意識や行動様式がここへきて変わりつつある。変化の兆しが出てきているように見えますね。

――そうした動きがＳＮＳなどを通じて広がっていけば、南海トラフが発生しても、そういった世代を中心に、地域で再生に向けた動きにつなげていけるのではないでしょうか。

名越 後押ししたいですね。

養老 無理するんじゃなくて、号令かけるんじゃなくて、そうなるしか仕方がない、というふうになると思いますね。

名越 今年（２０２３年）、高野山大学の客員教授になったんですけど、森林セラピーと仏教心理学を軸に一般や企業を対象にワークショップをしようということを考えています。今年は（弘法大師誕生）１２５０年祭なんですね。そこで名だたるお寺の和尚さまのやる気もすごくて、研修の3日間でどんなカリキュラムを組もうかとされています。そういう勢いが出てきているので、絶やさないようにしたいなと思っています。

高野山大学には国際会議ができるような大きな会議場があるんですよ。そのうち春は新入社員、秋は中高年の社員さんに、ライフスタイルを豊かにしてもらうヒントをつかんでもらえればと思っています。お坊さま方がすごく活気があるので楽しみですね。

養老　2泊3日じゃ短いですね。1週間か1カ月やってください。

名越　そう、修行の復活ですね。生と死を和合するためにもいいんじゃないかと思います。

コラム①

音楽と人生

名越康文

音楽活動は、心理的には今の僕の人生の8割を占めています。

僕の音楽人生は中学生のころからですね。いろんな音楽を聴いていました。大学入学後にはジャズの先生にボーカルを教わるようになりました。それは21歳でやめてしまい、復活したのは50代になってからです。54歳の時、ある方に「本気でやるんだったらミュージシャンと作詞家を紹介してあげるよ」と言われ、詩人で作詞家の覚和歌子さんと「東京ローカル・ホンク」という有名なロックバンドを紹介してもらい、歌を作ってもらって歌ったのです。

そうしたら自分でバンドをやりたくなりまして、ミュージシャンつながりでプロのミュージシャンを次々に紹介していただいて「THE　BARDIC BAND」を結成しました。曲を月に1曲ぐらいのペースで作り、2021年の暮れに1枚目のアルバム「SUPERMAN HAS COME」をリリースしたんです。これまでに60曲ぐらい作っていましてね、今年中に2枚目のアルバムを出す予定です。

僕の曲作りは、なんとなく妄想で降りてきたものをアイフォーンに録音して、そのあと歌詞を付けて録音し直すというパターンですね。それをバンドリーダーでギタリストの佐藤克彦さんに送ってコードをつけてアレンジしてもらいます。そして他のメンバーと集まれる日を決めてライブをする。そういう活動をもう6年以上やっています。

コロナ前は多い時は月に2回ぐらいライブをやっていましたが、コロナ以降は減りましたね。ただ、ライブ以外の活動も行っています。少年院を出た子が社会復帰していく様子を撮った映画「道しるべ」のエンディング曲を作らせてもらったり、ユーチューブで発信している「カタシロRebuild」という舞台作品の曲を歌わせてもらったりしています。まあ、いろいろと工夫しながら活動を継続してきました。

こうした活動ができるのも、ネットでいろんな方とつながったおかげです。さまざまな方が気にかけてくれるんですね。波長の合う人たちとつながった結果、小さいけれども網の目のようになってきたのです。

今の僕の人生において音楽の存在はとても大きいですね。心理的には80％ぐらいですかね。実際的には月に5日間ぐらいですかね、音楽に没頭しているのは。音楽というのは自分の内側にある言葉以前の無意識との対話ですから、心理学的な洞察も深まるんですよ。瞑想とかよく言いますけども、よほどの状況でないと普通の人は瞑想なんかしないですよ。山歩きしたり、虫捕りしたり、僕みたいに音楽に没頭している時は、脳波的には瞑想状態に入っていると思いますよ。瞑想状態はいわば心が空っぽになっているのに、その「空っぽ」がすごく充実しています。僕にとって音楽をやったり、音楽の話をする、没頭しているというのは、全部、ある種の瞑想かなと思っています。

ある人に言わせると、僕の体の中に流れているのはラテン系の音楽だというのです。サルサとかサンバとか。ロックを作っているのですが、ラテン風の作風になっているというのです。どうしてでしょうね、僕はブラジルも行ったことないし。そうしたら、「関西人はラテンのリズムが自然と身についている」と言うんですね。ただ、今回のアルバムはロックにしていますので、ラテン系のものは次回にしようかなと思っています。

フォークのような音楽はよく分からない。やっぱり志向するのはロックなんですね。これは性質（たち）でしょうね。僕の音楽の曲調もやっぱり、性質としか言いようがないですね。息子も音楽が好きで、2人で音楽の話をしているとあっという間に1時間ぐらいたってしまいます。似た者同士ですね（笑）。

コラム② ―― たばこと価値観　養老孟司

虫捕りの合間の一服がいちばんおいしいね。

僕はきちっと決まったことをすることが苦手なんですよ。嫌いというかね。それを壊すのにはたばこ（喫煙）がいちばんいい。だから、何の理由もなく突然、たばこに火を付けています。

現代社会において嫌われる理由がよく分かりますよ（笑）。（その行動様式は）コンピューターにデータとして入らない。ランダムな行動になっているわけですね。突然、奇声を発するみたいにね。それだから、今では組織的に嫌われていますよ。今の東京ではね。

この数年で、日本でも屋内禁煙が有力になってきています。それは煙が受動喫煙の被害を及ぼすからダメだというわけです。ところが、屋外もダメなんですね。そんな国は日本だけでしょ。これ、何なんですかね。人がランダムな行動をすることが気にいらない、そういう思考様式がもともと日本の文化の中にあるんだね。

たばこを吸い始めると血相を変えて怒り出す人がいますからね。そういう人（目的＝例えば健康＝のために何も考えず一直線に進む行動が主体になっている人）からすれば「喫煙をして何の得になるんだ」ということになる。彼らからすれば意味が分からない行動に見えるんですね。虫を見て「何でこんなところを飛んでいるんだ」ということと同じですよ。

それを人間の行動にあてはめると、喫煙のような答えが出ない行動というのは、どうしても気に食わないんでしょうね。

今、世の中は多様性だとかＳＤＧｓとか言っています。それは、そういうものをこれまでの社会が、環境破壊や社会的な規制強化などで全部消してきちゃったからですよ。自己矛盾です。おかしな話ですよ。規制強化とか価値観の押し付けとか、そういうことが好きな人はメタバースの中にそういう世界をつくって、そっちに行ってほしいものです。

たばこの話に戻しますとね、僕はもっぱら紙巻き派です。口当たりがいいですね。銘柄はどこでも売っていて簡単に手に入るものですよ。

昨年、ラオスに行った際は、成田空港の免税店で2週間分まとめて買って行きました。ラオスのたばこは安いですよ、1箱40円ぐらい。ラオスでは空港では喫煙場所で多少の規制がありましたが、それぐらいですよ。虫捕りの休憩の時に一服しますが、その時がいちばんおいしく感じますね。

日本の喫煙所はね、絶対にたばこを吸わない人が考えたんですよ。あんな閉鎖的なところで吸ってもちっともおいしくない。東京に出ている時にね、たばこのことを考えるとすぐに家に帰りたくなりますよ。家では好きな時に吸えますからね。そう言えば、「まる」が生きていた時、あいつの前で吸っていても大目に見てくれていましたね（笑）。

おわりに

全部合わせると、かなり長い対談だったと思うけれど、なんとか一つにまとまってよかったという印象である。

話というのは、ゆっくり長く話さないと、なかなか本音が出てこない。話しているうちに、自分の考えがまとまったり、新しい視点に気づいたりすることも多い。若いころは、大学院生などを喫茶店に連れ込んで、よく話を聞かせることがあった。相手は迷惑していたかもしれないが、それで自分の考えがまとまったり、はっきりしてきたりする。

今回は一方的なおしゃべりではなく、名越さんという立派な相手がある、まさに対話だったから、対話の面白さを満喫した。それが読者に通じれば、と思う。

名越さんは精神科医という型にはまらない人で、音楽をやるだけではなく、武道を介して身体性にも具体的に関わっておられ、仏教にも造詣が深い。なかなか味のある人である。

この忙しい現代に、対談の場を何度か設けて、その時々のテーマを介して、ゆっくりと企画をすすめてくださった日刊ゲンダイの皆さんにも感謝したいと思う。

養老孟司

養老孟司　ようろう・たけし

1937年、神奈川県生まれ。医学者、解剖学者。東京大学医学部卒。95年に同大学医学部教授を退官し名誉教授に。国民的ベストセラー「バカの壁」、サントリー学芸賞を受賞した「からだの見方」のほか「唯脳論」「手入れという思想」「遺言。」「ヒトの壁」など著書多数。

名越康文　なこし・やすふみ

1960年、奈良県生まれ。精神科医。近畿大学医学部卒業。相愛大学、高野山大学、龍谷大学客員教授。専門は思春期精神医学、精神療法。臨床に携わる一方でテレビ・ラジオのコメンテーター、雑誌連載などさまざまな分野で活躍している。

ニホンという病《やまい》

2023年5月25日　第1刷発行
2023年6月 9 日　第2刷発行

著者　養老孟司《ようろうたけし》、名越康文《なこしやすふみ》

発行者　寺田俊治

発行所　株式会社日刊現代
〒104-8007　東京都中央区新川1-3-17　新川三幸ビル
電話　03-5244-9600

発売　株式会社講談社
〒112-8001　東京都文京区音羽2-12-21
電話　03-5395-3606

印刷・製本　中央精版印刷株式会社

装幀・デザイン　華本達哉（株式会社aozora）

編集協力　山田稔（編集工房レーヴ）

ISBN978-4-06-531984-0